개념 ⊗ 연산은
연산 집중 연습을 통해
개념을 완성시키는
솔루션입니다.

연구진

이동환_ 부산교육대학교 교수
이상욱_ 풍산자수학연구소 책임연구원

집필진

강연주_ 상도 뉴스터디, 풍산자수학연구소 연구위원
김규상_ 광명 더옳은수학, 풍산자수학연구소 연구위원
김명중_ 상도 뉴스터디, 풍산자수학연구소 연구위원
설성환_ 광명 더옳은수학, 풍산자수학연구소 연구위원
이지은_ 부산 하이매쓰, 풍산자수학연구소 연구위원
윤형은_ 상도 뉴스터디, 풍산자수학연구소 연구위원

교과서 속 연산을 빠르게!

풍산자

개념 × 연산

초등 수학 6-2

구성과 특징

개념 이해

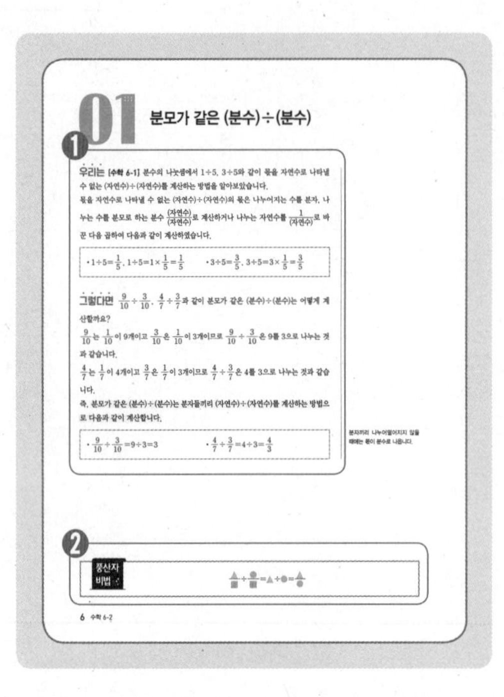

❶ 이미 배운 내용으로 앞으로 배울 내용을 자연스럽게 연계한 개념학습으로 읽으면서 이해할 수 있도록 개념을 설명했어요.

❷ 읽으면서 이해한 개념을 풍산자만의 비법으로 한눈에 정리할 수 있도록 하였습니다.

3단계 문제 해결

1단계 예제 따라 풀어보는 연산

개념과 관련된 대표 연산 문제를 풀어보며 배운 개념을 문제에 적용해요.

2단계 스스로 풀어보는 연산

이제는 스스로 문제를 풀어볼까요? 개념을 잘 익혔는지 확인해 봅시다.

초등 풍산자 개념×연산의 포인트

1 읽으면서 이해되는 개념

이미 학습한 개념을 바탕으로 앞으로 배울 개념을 자연스럽게 배웁니다.

2 꼭 필요한 핵심 개념 수록

교과서 단원을 재구성한 핵심 개념으로 수학을 가장 빠르고 쉽게 익힙니다.

3 학습에 가장 효율적인 3단계 문제

연산의 3단계 문제 구성으로 수학 실력이 단계적으로 상승합니다.

3단계 응용 연산

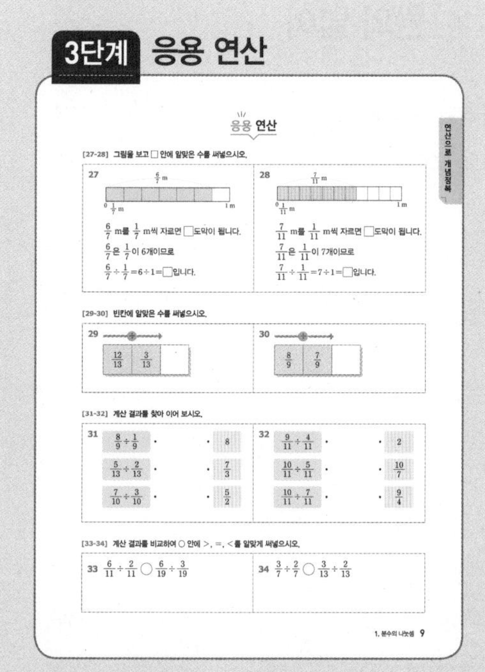

응용 연산 문제까지 풀어보며 개념을 완벽하게 완성해요.

특별한 단계

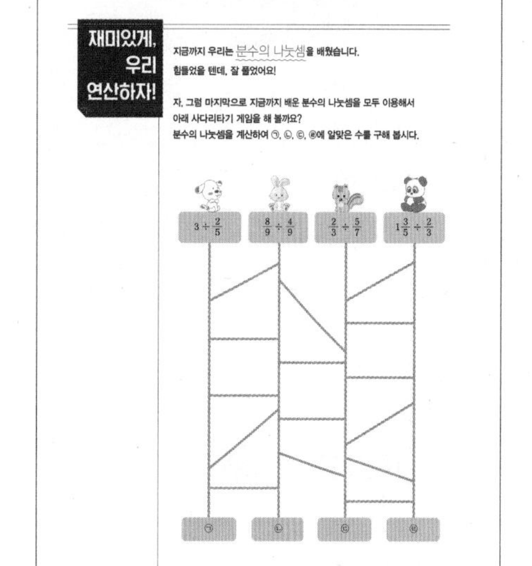

단원별로 배운 내용을 모두 이용해서 재미있는 연산 문제를 해결해 보세요.

차례

1 ::: 분수의 나눗셈

2 ::: 소수의 나눗셈

3 ::: 공간과 입체

4 ::: 비례식과 비례배분

5 ::: 원의 넓이

6 ::: 원기둥, 원뿔, 구

1

분수의 나눗셈

01 분모가 같은 (분수)÷(분수)

우리는 [수학 6-1] 분수의 나눗셈에서 $1 \div 5$, $3 \div 5$와 같이 몫을 자연수로 나타낼 수 없는 (자연수)÷(자연수)를 계산하는 방법을 알아보았습니다.

몫을 자연수로 나타낼 수 없는 (자연수)÷(자연수)의 몫은 나누어지는 수를 분자, 나누는 수를 분모로 하는 분수 $\frac{(\text{자연수})}{(\text{자연수})}$로 계산하거나 나누는 자연수를 $\frac{1}{(\text{자연수})}$로 바꾼 다음 곱하여 다음과 같이 계산하였습니다.

- $1 \div 5 = \frac{1}{5}$, $1 \div 5 = 1 \times \frac{1}{5} = \frac{1}{5}$
- $3 \div 5 = \frac{3}{5}$, $3 \div 5 = 3 \times \frac{1}{5} = \frac{3}{5}$

그렇다면 $\frac{9}{10} \div \frac{3}{10}$, $\frac{4}{7} \div \frac{3}{7}$과 같이 분모가 같은 (분수)÷(분수)는 어떻게 계산할까요?

$\frac{9}{10}$는 $\frac{1}{10}$이 9개이고 $\frac{3}{10}$은 $\frac{1}{10}$이 3개이므로 $\frac{9}{10} \div \frac{3}{10}$은 9를 3으로 나누는 것과 같습니다.

$\frac{4}{7}$는 $\frac{1}{7}$이 4개이고 $\frac{3}{7}$은 $\frac{1}{7}$이 3개이므로 $\frac{4}{7} \div \frac{3}{7}$은 4를 3으로 나누는 것과 같습니다.

즉, 분모가 같은 (분수)÷(분수)는 분자들끼리 (자연수)÷(자연수)를 계산하는 방법으로 다음과 같이 계산합니다.

- $\frac{9}{10} \div \frac{3}{10} = 9 \div 3 = 3$
- $\frac{4}{7} \div \frac{3}{7} = 4 \div 3 = \frac{4}{3}$

분자끼리 나누어떨어지지 않을 때에는 몫이 분수로 나옵니다.

풍산자 비법

$\frac{▲}{■} \div \frac{●}{■} = ▲ \div ● = \frac{▲}{●}$

예제 따라 풀어보는 연산

예제 1 $\frac{4}{5}\div\frac{2}{5}=4\div2=2$

01 $\frac{6}{7}\div\frac{2}{7}=$	**02** $\frac{10}{11}\div\frac{2}{11}=$
03 $\frac{12}{13}\div\frac{4}{13}=$	**04** $\frac{5}{6}\div\frac{1}{6}=$
05 $\frac{16}{17}\div\frac{8}{17}=$	**06** $\frac{8}{15}\div\frac{4}{15}=$

예제 2 $\frac{7}{8}\div\frac{3}{8}=7\div3=\frac{7}{3}$

07 $\frac{9}{16}\div\frac{5}{16}=$	**08** $\frac{11}{15}\div\frac{7}{15}=$
09 $\frac{3}{5}\div\frac{2}{5}=$	**10** $\frac{5}{7}\div\frac{2}{7}=$
11 $\frac{5}{8}\div\frac{3}{8}=$	**12** $\frac{11}{13}\div\frac{9}{13}=$

스스로 풀어보는 연산

13 $\frac{3}{4} \div \frac{1}{4} =$	14 $\frac{6}{7} \div \frac{3}{7} =$
15 $\frac{4}{5} \div \frac{1}{5} =$	16 $\frac{10}{11} \div \frac{5}{11} =$
17 $\frac{3}{5} \div \frac{1}{5} =$	18 $\frac{14}{15} \div \frac{2}{15} =$
19 $\frac{8}{9} \div \frac{2}{9} =$	20 $\frac{10}{11} \div \frac{3}{11} =$
21 $\frac{7}{15} \div \frac{2}{15} =$	22 $\frac{7}{9} \div \frac{5}{9} =$
23 $\frac{6}{7} \div \frac{5}{7} =$	24 $\frac{3}{4} \div \frac{7}{4} =$
25 $\frac{9}{11} \div \frac{2}{11} =$	26 $\frac{3}{17} \div \frac{2}{17} =$

응용 연산

[27-28] 그림을 보고 □ 안에 알맞은 수를 써넣으시오.

27

$\frac{6}{7}$ m

0 $\frac{1}{7}$ m 1 m

$\frac{6}{7}$ m를 $\frac{1}{7}$ m씩 자르면 □도막이 됩니다.

$\frac{6}{7}$은 $\frac{1}{7}$이 6개이므로

$\frac{6}{7} \div \frac{1}{7} = 6 \div 1 =$ □입니다.

28

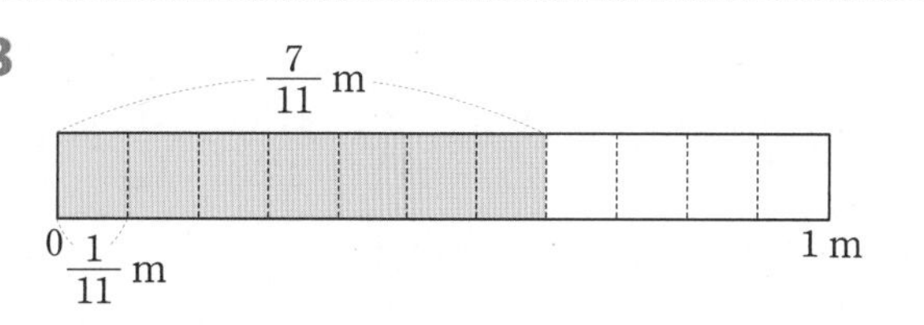

$\frac{7}{11}$ m를 $\frac{1}{11}$ m씩 자르면 □도막이 됩니다.

$\frac{7}{11}$은 $\frac{1}{11}$이 7개이므로

$\frac{7}{11} \div \frac{1}{11} = 7 \div 1 =$ □입니다.

[29-30] 빈칸에 알맞은 수를 써넣으시오.

29

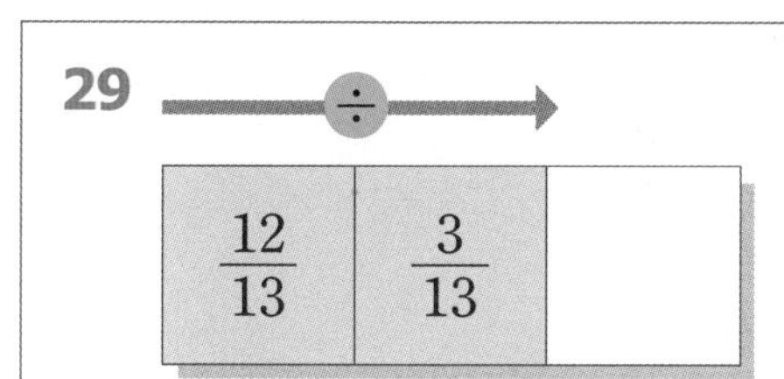

30

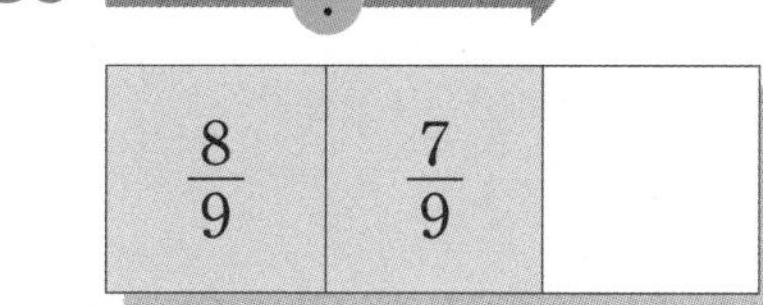

[31-32] 계산 결과를 찾아 이어 보시오.

31

$\frac{8}{9} \div \frac{1}{9}$ •	• 8
$\frac{5}{13} \div \frac{2}{13}$ •	• $\frac{7}{3}$
$\frac{7}{10} \div \frac{3}{10}$ •	• $\frac{5}{2}$

32

$\frac{9}{11} \div \frac{4}{11}$ •	• 2
$\frac{10}{11} \div \frac{5}{11}$ •	• $\frac{10}{7}$
$\frac{10}{11} \div \frac{7}{11}$ •	• $\frac{9}{4}$

[33-34] 계산 결과를 비교하여 ○ 안에 >, =, <를 알맞게 써넣으시오.

33 $\frac{6}{11} \div \frac{2}{11}$ ○ $\frac{6}{19} \div \frac{3}{19}$

34 $\frac{3}{7} \div \frac{2}{7}$ ○ $\frac{3}{13} \div \frac{2}{13}$

02 분모가 다른 (분수)÷(분수)

우리는 앞 단원에서 $\frac{6}{11}\div\frac{2}{11}$, $\frac{7}{12}\div\frac{5}{12}$와 같이 분모가 같은 (분수)÷(분수)를 계산하는 방법을 알아보았습니다.
분모가 같은 (분수)÷(분수)는 분자들끼리 (자연수)÷(자연수)를 계산하는 방법으로 다음과 같이 계산하였습니다.

- $\frac{6}{11}\div\frac{2}{11}=6\div2=3$
- $\frac{7}{12}\div\frac{5}{12}=7\div5=\frac{7}{5}$

그렇다면 $\frac{3}{4}\div\frac{3}{8}$, $\frac{3}{5}\div\frac{2}{3}$와 같이 분모가 다른 (분수)÷(분수)는 어떻게 계산할까요?
$\frac{3}{4}\div\frac{3}{8}$에서 두 분수의 분모를 같게 만들기 위해 $\frac{3}{4}$을 $\frac{6}{8}$으로 바꾸면 $\frac{6}{8}$은 $\frac{1}{8}$이 6개이고 $\frac{3}{8}$은 $\frac{1}{8}$이 3개이므로 $\frac{3}{4}\div\frac{3}{8}$은 6을 3으로 나누는 것과 같습니다.
$\frac{3}{5}\div\frac{2}{3}$에서 두 분수의 분모를 같게 만들기 위해 $\frac{3}{5}$을 $\frac{9}{15}$로, $\frac{2}{3}$를 $\frac{10}{15}$으로 바꾸면 $\frac{9}{15}$는 $\frac{1}{15}$이 9개이고 $\frac{10}{15}$은 $\frac{1}{15}$이 10개이므로 $\frac{3}{5}\div\frac{2}{3}$는 9를 10으로 나누는 것과 같습니다.
즉, 분모가 다른 (분수)÷(분수)는 두 분수를 통분하여 분모가 같은 (분수)÷(분수)를 계산하는 방법으로 다음과 같이 계산합니다.

- $\frac{3}{4}\div\frac{3}{8}=\frac{6}{8}\div\frac{3}{8}=6\div3=2$
- $\frac{3}{5}\div\frac{2}{3}=\frac{9}{15}\div\frac{10}{15}=9\div10=\frac{9}{10}$

두 분수를 통분할 때에는 두 분모의 곱 또는 두 분모의 최소공배수를 공통분모로 하여 통분합니다.

풍산자 비법 분모가 다른 (분수)÷(분수) ⇨ 통분하여 분모가 같은 (분수)÷(분수)로 바꾸어 계산한다.

예제 따라 풀어보는 연산

예제 1 $\frac{3}{4} \div \frac{3}{16} = \frac{12}{16} \div \frac{3}{16} = 12 \div 3 = 4$

01 $\frac{4}{15} \div \frac{1}{30} =$	**02** $\frac{3}{5} \div \frac{1}{15} =$
03 $\frac{3}{7} \div \frac{3}{14} =$	**04** $\frac{2}{13} \div \frac{2}{39} =$
05 $\frac{5}{6} \div \frac{5}{18} =$	**06** $\frac{9}{10} \div \frac{3}{20} =$

예제 2 $\frac{2}{3} \div \frac{1}{4} = \frac{8}{12} \div \frac{3}{12} = 8 \div 3 = \frac{8}{3}$

07 $\frac{1}{4} \div \frac{2}{9} =$	**08** $\frac{3}{7} \div \frac{1}{4} =$
09 $\frac{1}{2} \div \frac{2}{3} =$	**10** $\frac{4}{9} \div \frac{1}{4} =$
11 $\frac{4}{5} \div \frac{5}{6} =$	**12** $\frac{1}{3} \div \frac{4}{5} =$

스스로 풀어보는 연산

13 $\frac{3}{4} \div \frac{1}{12} =$	14 $\frac{1}{3} \div \frac{1}{18} =$
15 $\frac{1}{4} \div \frac{1}{12} =$	16 $\frac{2}{5} \div \frac{2}{15} =$
17 $\frac{3}{5} \div \frac{3}{10} =$	18 $\frac{1}{2} \div \frac{3}{14} =$
19 $\frac{7}{10} \div \frac{2}{5} =$	20 $\frac{3}{7} \div \frac{2}{3} =$
21 $\frac{5}{11} \div \frac{3}{4} =$	22 $\frac{9}{11} \div \frac{1}{3} =$
23 $\frac{2}{5} \div \frac{3}{7} =$	24 $\frac{1}{4} \div \frac{3}{10} =$
25 $\frac{3}{4} \div \frac{2}{7} =$	26 $\frac{2}{3} \div \frac{5}{7} =$

응용 연산

[27-28] ㉠에 알맞은 수를 구하시오.

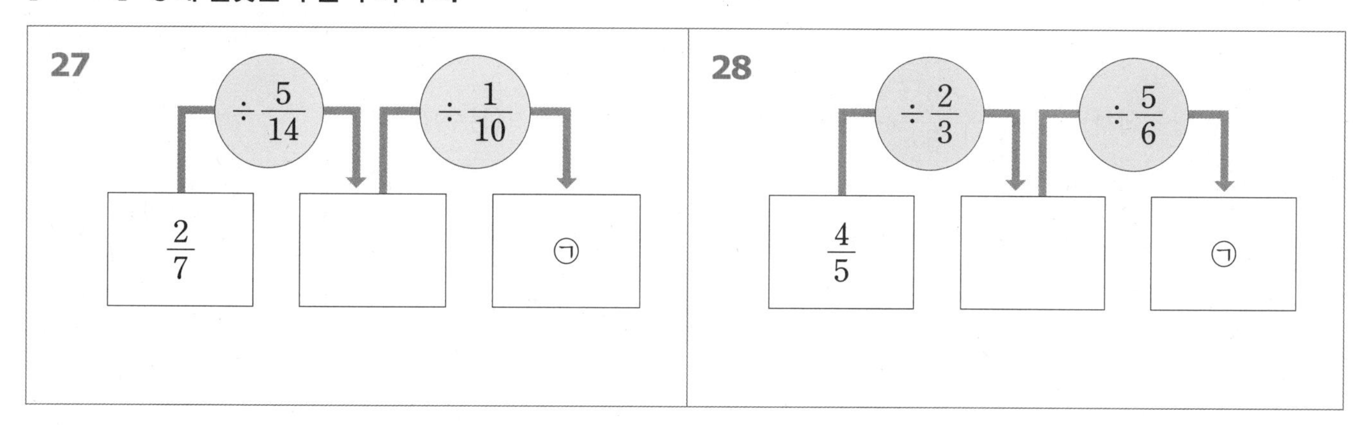

[29-30] 계산 결과를 찾아 이어 보시오.

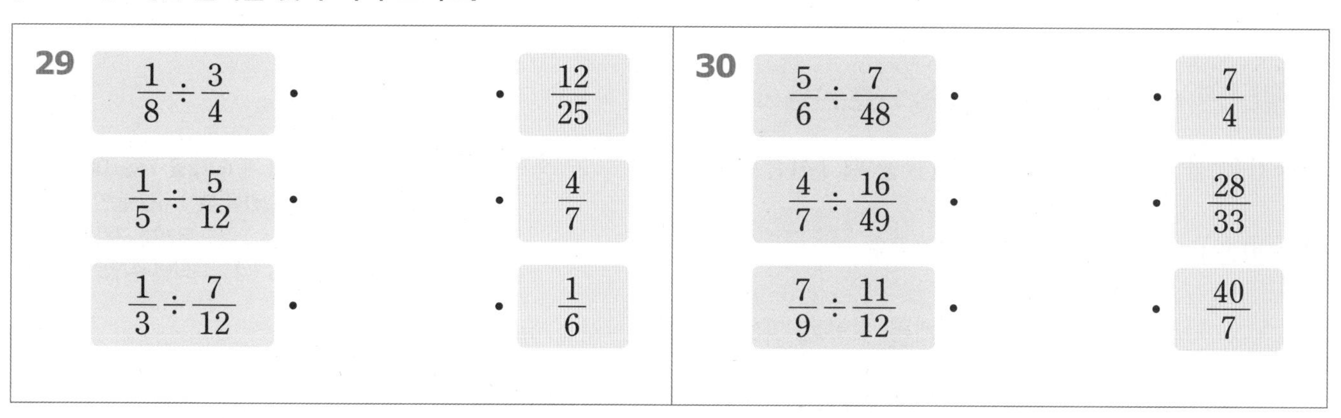

[31-32] 계산 결과가 자연수인 것을 찾아 기호를 쓰시오.

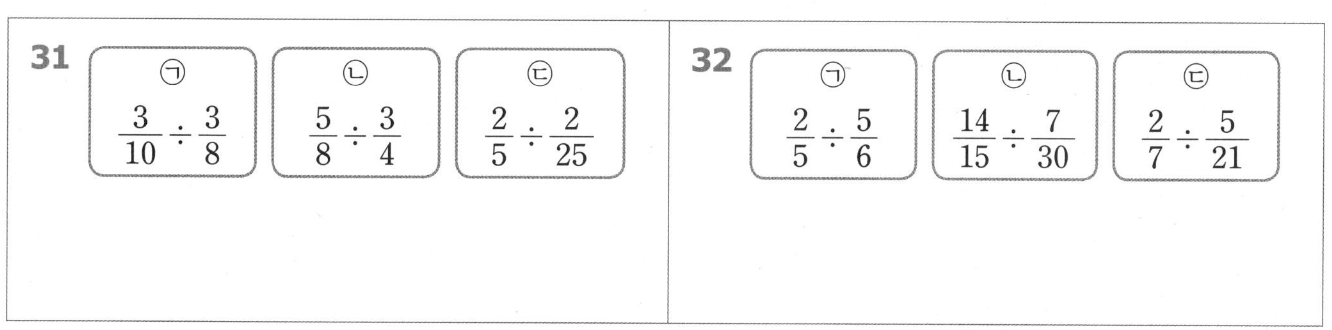

[33-34] 계산 결과를 비교하여 ○ 안에 $>$, $=$, $<$를 알맞게 써넣으시오.

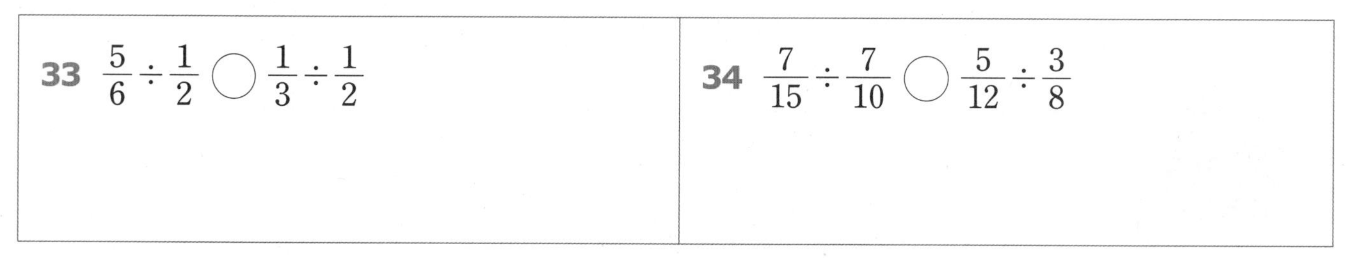

03 (자연수)÷(분수)

우리는 앞 단원에서 $\frac{5}{7} \div \frac{5}{14}$, $\frac{2}{3} \div \frac{3}{7}$과 같이 분모가 다른 (분수)÷(분수)를 계산하는 방법을 알아보았습니다.
분모가 다른 (분수)÷(분수)는 두 분수를 통분하여 분모가 같은 (분수)÷(분수)를 계산하는 방법으로 다음과 같이 계산하였습니다.

- $\frac{5}{7} \div \frac{5}{14} = \frac{10}{14} \div \frac{5}{14} = 10 \div 5 = 2$
- $\frac{2}{3} \div \frac{3}{7} = \frac{14}{21} \div \frac{9}{21} = 14 \div 9 = \frac{14}{9}$

그렇다면 $6 \div \frac{2}{3}$와 같은 (자연수)÷(분수)는 어떻게 계산할까요?
조개 6 kg을 캐는 데 $\frac{2}{3}$시간이 걸렸을 때 1시간 동안 캘 수 있는 조개의 무게를 구하는 식은 $6 \div \frac{2}{3}$로 나타낼 수 있습니다.

조개 6 kg을 캐는 데 2시간이 걸렸을 때 1시간 동안 캘 수 있는 조개의 무게를 구하는 식은 6÷2로 나타낼 수 있습니다.

1시간 동안 캘 수 있는 조개의 무게를 구하기 위해서 먼저 $\frac{1}{3}$시간 동안 캘 수 있는 조개의 무게를 구해 보면 6÷2=3(kg)이고, 1시간 동안 캘 수 있는 조개의 무게는 $\frac{1}{3}$시간 동안 캘 수 있는 조개의 무게의 3배이므로 3×3=9(kg)입니다.
즉, (자연수)÷(분수)는 (자연수)÷(분수의 분자)×(분수의 분모)로 다음과 같이 계산할 수 있습니다.

$$6 \div \frac{2}{3} = (6 \div 2) \times 3 = 3 \times 3 = 9$$

또한, (자연수)÷(분수)는 자연수를 분수로 나타내어 분모가 같은 (분수)÷(분수)를 계산하는 방법으로 다음과 같이 계산할 수도 있습니다.

$$6 \div \frac{2}{3} = \frac{18}{3} \div \frac{2}{3} = 18 \div 2 = 9$$

풍산자 비법

$$▲ \div \frac{●}{■} = (▲ \div ●) \times ■$$

예제 따라 풀어보는 연산

예제 1 $9 \div \frac{3}{4} = (9 \div 3) \times 4 = 3 \times 4 = 12$

01 $12 \div \frac{3}{4} =$	**02** $6 \div \frac{2}{7} =$
03 $12 \div \frac{6}{7} =$	**04** $4 \div \frac{2}{11} =$
05 $8 \div \frac{2}{9} =$	**06** $18 \div \frac{6}{7} =$

예제 2 $3 \div \frac{3}{4} = \frac{12}{4} \div \frac{3}{4} = 12 \div 3 = 4$

07 $8 \div \frac{1}{3} =$	**08** $6 \div \frac{3}{8} =$
09 $4 \div \frac{2}{5} =$	**10** $5 \div \frac{5}{6} =$
11 $9 \div \frac{3}{7} =$	**12** $4 \div \frac{2}{9} =$

스스로 풀어보는 연산

13 $3 \div \frac{1}{5} =$	14 $4 \div \frac{2}{7} =$
15 $8 \div \frac{4}{7} =$	16 $9 \div \frac{3}{5} =$
17 $2 \div \frac{2}{9} =$	18 $6 \div \frac{2}{3} =$
19 $9 \div \frac{1}{11} =$	20 $7 \div \frac{7}{10} =$
21 $12 \div \frac{4}{9} =$	22 $8 \div \frac{4}{7} =$
23 $12 \div \frac{3}{5} =$	24 $14 \div \frac{7}{9} =$
25 $18 \div \frac{9}{11} =$	26 $10 \div \frac{5}{8} =$

응용 연산

[27-28] 빈칸에 알맞은 수를 써넣으시오.

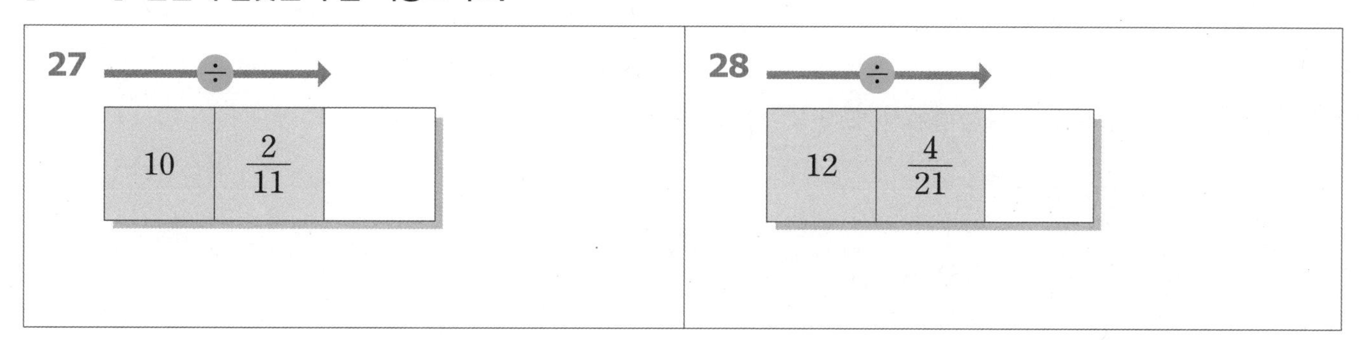

[29-30] 계산 결과를 찾아 이어 보시오.

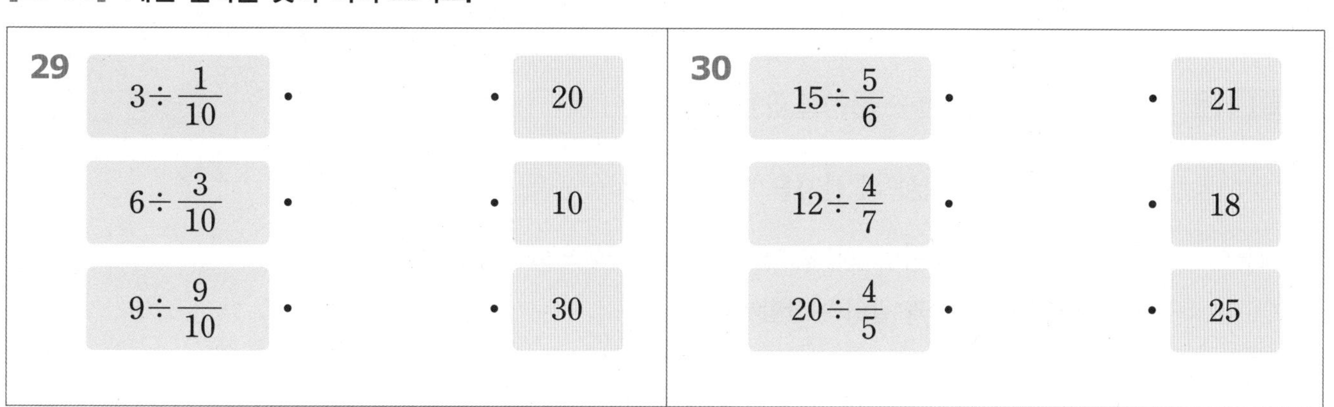

[31-32] 계산 결과가 가장 작은 것을 찾아 기호를 쓰시오.

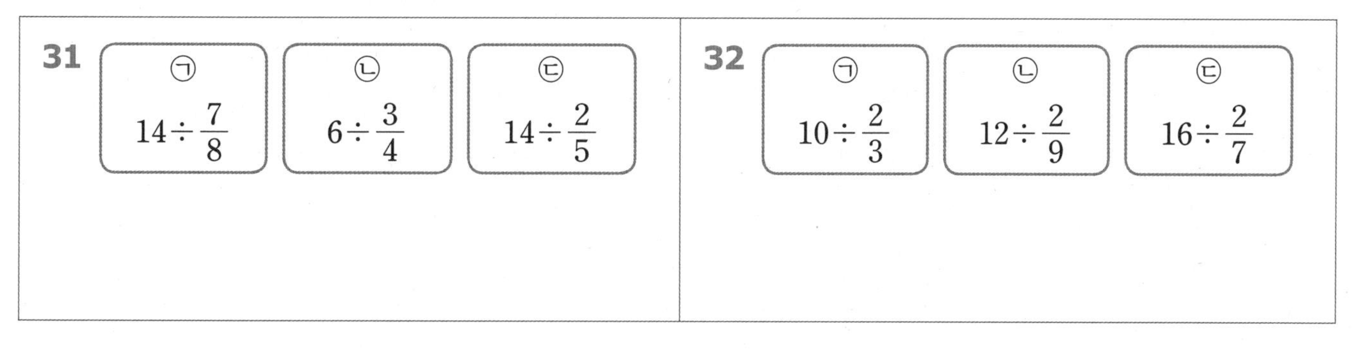

[33-34] 계산 결과를 비교하여 ○ 안에 >, =, <를 알맞게 써넣으시오.

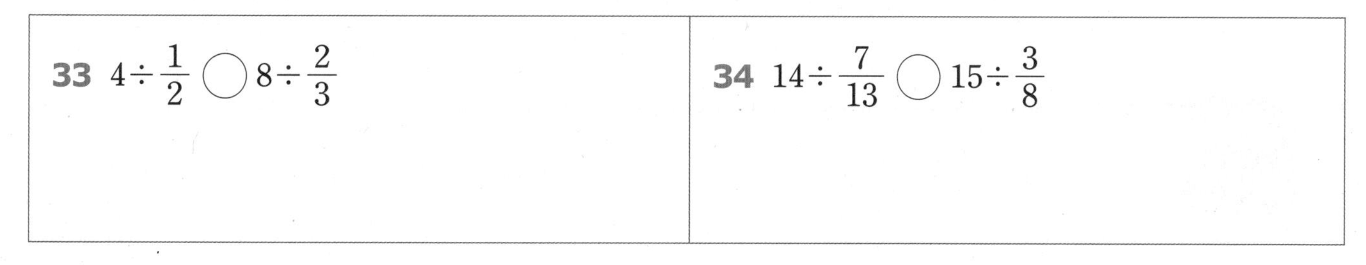

04 (분수)÷(분수)

우리는 [수학 6-1] 분수의 나눗셈에서 $\frac{6}{7}\div 3$, $\frac{3}{4}\div 2$와 같은 (분수)÷(자연수)를 계산하는 방법을 알아보았습니다.

(분수)÷(자연수)는 자연수를 $\frac{1}{(\text{자연수})}$로 바꾼 다음 곱하여 다음과 같이 계산하였습니다.

(자연수)는 $\frac{(\text{자연수})}{1}$와 같고 분모와 분자를 바꾸면 $\frac{1}{(\text{자연수})}$이 됩니다.

- $\frac{6}{7}\div 3=\frac{6}{7}\times\frac{1}{3}=\frac{6}{21}=\frac{2}{7}$
- $\frac{3}{4}\div 2=\frac{3}{4}\times\frac{1}{2}=\frac{3}{8}$

그렇다면 $\frac{4}{7}\div\frac{2}{5}$와 같은 (분수)÷(분수)도 곱셈으로 바꾸어 계산할 수 있을까요?

(분수)÷(자연수)에서 $\frac{(\text{자연수})}{1}$의 분모와 분자를 바꾼 다음 나눗셈을 곱셈으로 고쳐서 계산한 것과 같은 방법으로 (분수)÷(분수)도 나눗셈을 곱셈으로 고치고 나누는 분수의 분모와 분자를 바꾸어 다음과 같이 계산합니다.

$$\frac{4}{7}\div\frac{2}{5}=\frac{\overset{2}{\cancel{4}}}{7}\times\frac{5}{\underset{1}{\cancel{2}}}=\frac{10}{7}$$

즉, (자연수)÷(분수), (가분수)÷(분수), (대분수)÷(분수)는 나누는 분수의 분모와 분자를 바꾸어 다음과 같이 곱셈으로 계산할 수 있습니다.

- (자연수)÷(분수) ⇨ $6\div\frac{2}{3}=\overset{3}{\cancel{6}}\times\frac{3}{\underset{1}{\cancel{2}}}=9$
- (가분수)÷(분수) ⇨ $\frac{5}{2}\div\frac{5}{6}=\frac{\overset{1}{\cancel{5}}}{\underset{1}{\cancel{2}}}\times\frac{\overset{3}{\cancel{6}}}{\underset{1}{\cancel{5}}}=3$
- (대분수)÷(분수) ⇨ $1\frac{2}{3}\div\frac{4}{5}=\frac{5}{3}\div\frac{4}{5}=\frac{5}{3}\times\frac{5}{4}=\frac{25}{12}$

(대분수)÷(분수)는 대분수를 가분수로 바꾸어 계산합니다.

풍산자 비법

(분수)÷(분수) ⇨ 나누는 분수의 분모와 분자를 바꾸어 나눗셈을 곱셈으로 계산한다.

예제 따라 풀어보는 연산

예제 1

$$\frac{3}{8} \div \frac{2}{3} = \frac{3}{8} \times \frac{3}{2} = \frac{9}{16}$$

01 $\frac{2}{7} \div \frac{5}{6} =$	**02** $\frac{3}{4} \div \frac{8}{9} =$
03 $\frac{13}{20} \div \frac{3}{7} =$	**04** $\frac{5}{24} \div \frac{2}{13} =$

예제 2

$$\frac{5}{4} \div \frac{3}{8} = \frac{5}{\cancel{4}_1} \times \frac{\cancel{8}^2}{3} = \frac{10}{3}$$

05 $\frac{7}{2} \div \frac{7}{9} =$	**06** $\frac{5}{3} \div \frac{13}{18} =$
07 $\frac{11}{10} \div \frac{11}{16} =$	**08** $\frac{10}{9} \div \frac{5}{27} =$

예제 3

$$1\frac{1}{2} \div \frac{3}{4} = \frac{3}{2} \div \frac{3}{4} = \frac{\cancel{3}^1}{\cancel{2}_1} \times \frac{\cancel{4}^2}{\cancel{3}_1} = 2$$

09 $1\frac{4}{7} \div \frac{2}{9} =$	**10** $2\frac{1}{3} \div \frac{5}{7} =$
11 $2\frac{1}{2} \div \frac{2}{3} =$	**12** $1\frac{2}{5} \div \frac{7}{9} =$

스스로 풀어보는 연산

13 $\frac{5}{7} \div \frac{3}{13} =$	14 $\frac{5}{6} \div \frac{8}{11} =$
15 $\frac{20}{27} \div \frac{5}{9} =$	16 $\frac{5}{8} \div \frac{3}{4} =$
17 $2 \div \frac{5}{8} =$	18 $6 \div \frac{5}{9} =$
19 $\frac{13}{12} \div \frac{3}{4} =$	20 $\frac{6}{5} \div \frac{2}{9} =$
21 $\frac{17}{7} \div \frac{1}{2} =$	22 $\frac{25}{6} \div \frac{1}{3} =$
23 $3\frac{2}{5} \div \frac{1}{10} =$	24 $1\frac{2}{9} \div \frac{2}{3} =$
25 $1\frac{1}{5} \div \frac{3}{5} =$	26 $3\frac{5}{6} \div \frac{7}{9} =$

응용 연산

[27-28] □ 안에 알맞은 수를 써넣으시오.

27 $\frac{8}{9} \div \frac{1}{2} = \frac{8}{9} \times \frac{2}{\square} = \frac{16}{\square} = \square$

28 $4 \div \frac{3}{5} = 4 \times \frac{\square}{3} = \frac{\square}{3} = \square$

[29-30] 빈칸에 알맞은 수를 써넣으시오.

29 ÷ →

$\frac{5}{7}$	$\frac{13}{14}$	

30

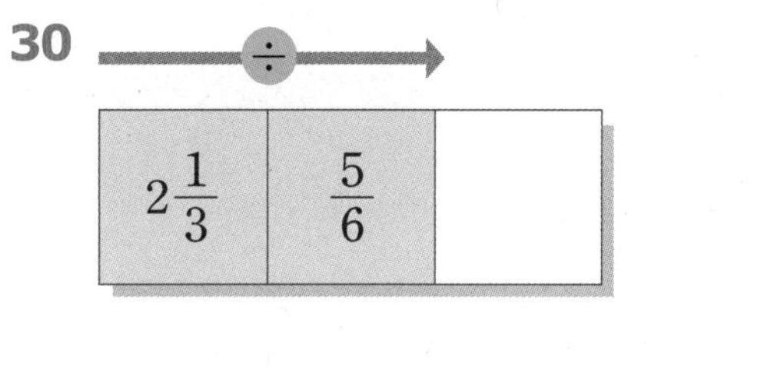

[31-32] 계산 결과를 찾아 이어 보시오.

31

- $\frac{7}{9} \div \frac{7}{12}$ •　　　　• $\frac{13}{9}$
- $\frac{13}{10} \div \frac{4}{5}$ •　　　　• $\frac{4}{3}$
- $1\frac{1}{12} \div \frac{3}{4}$ •　　　　• $\frac{13}{8}$

32

- $1\frac{1}{5} \div \frac{3}{8}$ •　　　　• $1\frac{3}{5}$
- $\frac{4}{7} \div \frac{5}{14}$ •　　　　• $3\frac{1}{5}$
- $\frac{15}{11} \div \frac{15}{17}$ •　　　　• $1\frac{6}{11}$

[33-34] 계산 결과를 비교하여 ○ 안에 $>$, $=$, $<$를 알맞게 써넣으시오.

33 $4\frac{1}{2} \div \frac{3}{4}$ ○ $7 \div \frac{7}{8}$

34 $9 \div \frac{9}{32}$ ○ $2\frac{3}{5} \div \frac{13}{15}$

재미있게, 우리 연산하자!

지금까지 우리는 분수의 나눗셈을 배웠습니다.
힘들었을 텐데, 잘 풀었어요!

자, 그럼 마지막으로 지금까지 배운 분수의 나눗셈을 모두 이용해서
아래 사다리타기 게임을 해 볼까요?
분수의 나눗셈을 계산하여 ㉠, ㉡, ㉢, ㉣에 알맞은 수를 구해 봅시다.

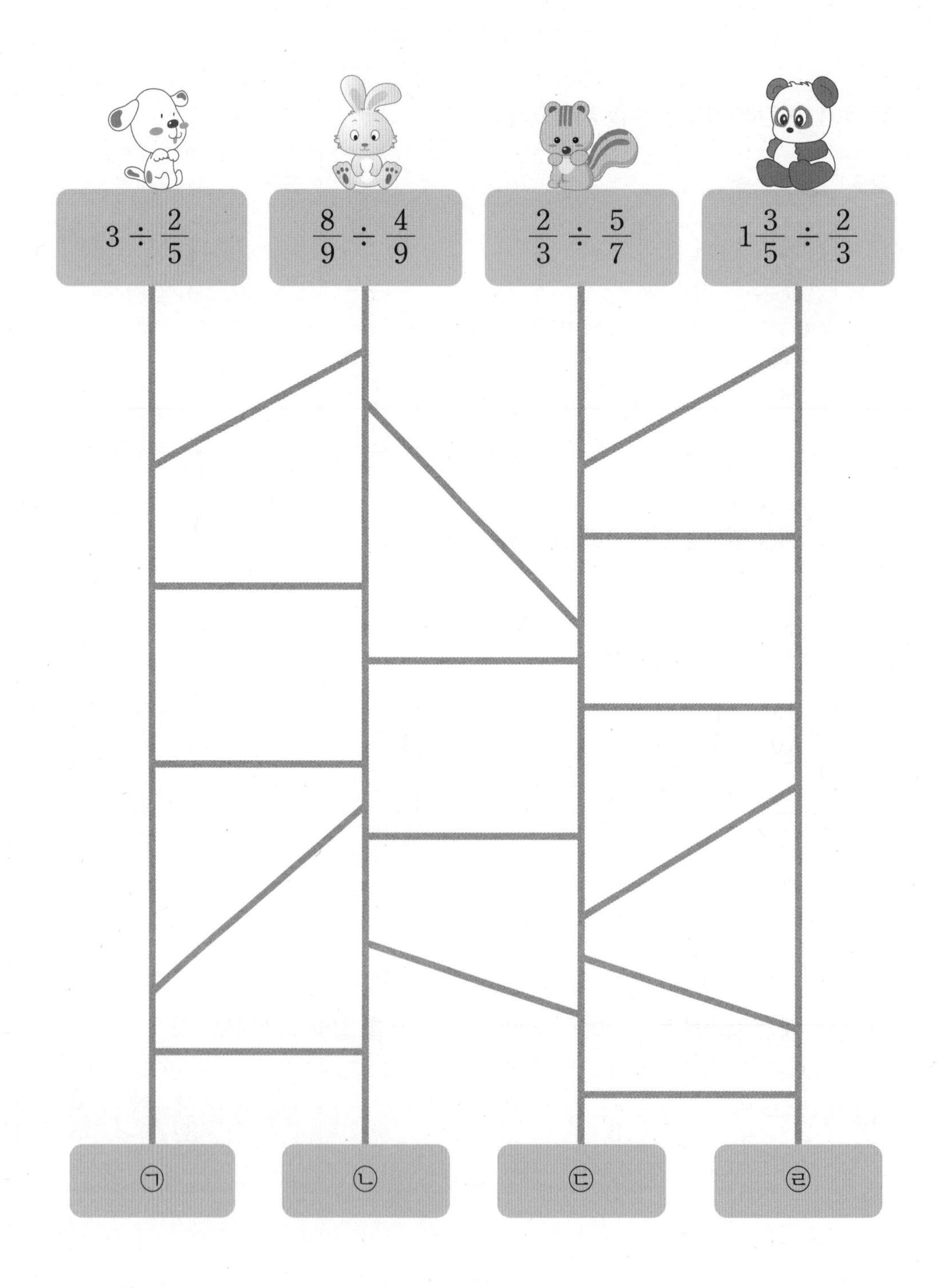

2

소수의 나눗셈

공부할 내용	공부한 날
05 (소수)÷(소수) (1)	월 일
06 (소수)÷(소수) (2)	월 일
07 (소수)÷(소수) (3)	월 일
08 (자연수)÷(소수)	월 일
09 몫의 반올림과 나누어 주고 남는 양	월 일

05 (소수)÷(소수) (1)

우리는 **[수학 6-1]** 소수의 나눗셈에서 $24.6 \div 2$, $2.46 \div 2$와 같은 (소수)÷(자연수)를 계산하는 방법을 알아보았습니다.
(소수)÷(자연수)는 자연수의 나눗셈을 이용하여 계산한 후 소수점을 표시하여 다음과 같이 계산하였습니다.

- $24.6 \div 2$ ⇨ $246 \div 2$를 계산한 후 몫을 소수 첫째 자리로 나타냅니다.
  $246 \div 2 = 123$이므로 $24.6 \div 2 = 12.3$
- $2.46 \div 2$ ⇨ $246 \div 2$를 계산한 후 몫을 소수 둘째 자리로 나타냅니다.
  $246 \div 2 = 123$이므로 $2.46 \div 2 = 1.23$

몫의 소수점은 나누어지는 수의 소수점의 자리에 맞추어 찍습니다.

즉, 나누어지는 수가 $\frac{1}{10}$배가 되면 몫도 $\frac{1}{10}$배가 되고, 나누어지는 수가 $\frac{1}{100}$배가 되면 몫도 $\frac{1}{100}$배가 됩니다.

그렇다면 $22.5 \div 0.5$, $2.25 \div 0.05$와 같은 (소수)÷(소수)는 어떻게 계산할까요?
나눗셈에서 나누는 수와 나누어지는 수에 같은 수를 곱하면 몫은 변하지 않으므로 (소수)÷(소수)는 나누는 수와 나누어지는 수에 10배 또는 100배를 하여 (자연수)÷(자연수)로 바꾸어 다음과 같이 계산합니다.

- $22.5 \div 0.5$ ⇨ 나누는 수와 나누어지는 수에 10을 곱하여 계산하면 $225 \div 5 = 45$이므로 $22.5 \div 0.5 = 45$

$$\begin{array}{ccc} 22.5 & \div & 0.5 \\ \downarrow 10배 & & \downarrow 10배 \\ 225 & \div & 5 = 45 \end{array}$$

- $2.25 \div 0.05$ ⇨ 나누는 수와 나누어지는 수에 100을 곱하여 계산하면 $225 \div 5 = 45$이므로 $2.25 \div 0.05 = 45$

$$\begin{array}{ccc} 2.25 & \div & 0.05 \\ \downarrow 100배 & & \downarrow 100배 \\ 225 & \div & 5 = 45 \end{array}$$

22.5는 0.1이 225개, 0.5는 0.1이 5개입니다.

2.25는 0.01이 225개, 0.05는 0.01이 5개입니다.

풍산자 비법 

(소수)÷(소수) ⇨ 나누는 수와 나누어지는 수에 10배 또는 100배를 하여 (자연수)÷(자연수)로 바꾸어 계산한다.

예제 따라 풀어보는 연산

예제 1

$1.8 \div 0.6$

⇨ 나누는 수와 나누어지는 수에 10을 곱하면 $18 \div 6 = 3$이므로 $1.8 \div 0.6 = 3$입니다.

01 $2.7 \div 0.3 =$	**02** $1.4 \div 0.7 =$
03 $4.8 \div 1.2 =$	**04** $7.6 \div 1.9 =$
05 $10.8 \div 0.9 =$	**06** $12.1 \div 1.1 =$

예제 2

$1.35 \div 0.09$

⇨ 나누는 수와 나누어지는 수에 100을 곱하면 $135 \div 9 = 15$이므로 $1.35 \div 0.09 = 15$입니다.

07 $4.96 \div 0.08 =$	**08** $3.65 \div 0.05 =$
09 $2.14 \div 0.02 =$	**10** $3.68 \div 0.23 =$
11 $5.76 \div 0.24 =$	**12** $2.01 \div 0.67 =$

스스로 풀어보는 연산

13 $4.2 \div 0.6 =$	**14** $3.6 \div 0.4 =$
15 $2.4 \div 0.8 =$	**16** $7.8 \div 1.3 =$
17 $7.2 \div 1.2 =$	**18** $14.5 \div 0.5 =$
19 $50.4 \div 0.7 =$	**20** $1.26 \div 0.06 =$
21 $1.84 \div 0.23 =$	**22** $7.92 \div 0.66 =$
23 $9.02 \div 0.82 =$	**24** $6.08 \div 0.32 =$
25 $1.08 \div 0.36 =$	**26** $9.35 \div 0.55 =$

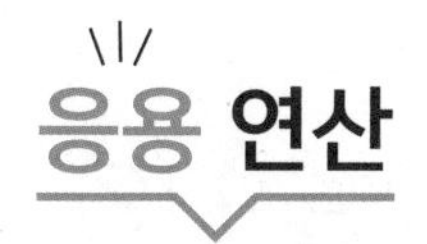

[27-28] cm를 mm로 바꾸어 계산하려고 합니다. □ 안에 알맞은 수를 써넣으시오.

27

10.8 cm=□ mm

0.6 cm=□ mm

⇨ $10.8 \div 0.6 = \square \div \square = \square$

28

5.5 cm=□ mm

1.1 cm=□ mm

⇨ $5.5 \div 1.1 = \square \div \square = \square$

[29-30] □ 안에 알맞은 수를 써넣으시오.

29 $1.35 \div 0.09 = 135 \div \square = \square$

30 $9.36 \div 0.36 = 936 \div \square = \square$

[31-32] 큰 수를 작은 수로 나눈 몫을 빈칸에 써넣으시오.

31

2.7	51.3

32

8.25	0.33

[33-34] 계산 결과를 비교하여 ○ 안에 $>$, $=$, $<$를 알맞게 써넣으시오.

33 $1.12 \div 0.07$ ○ $1.84 \div 0.08$

34 $45.6 \div 0.4$ ○ $2.36 \div 0.02$

06 (소수)÷(소수) (2)

우리는 앞 단원에서 39.6÷0.3, 3.96÷0.03과 같은 (소수)÷(소수)를 계산하는 방법을 알아보았습니다. (소수)÷(소수)는 나누는 수와 나누어지는 수에 10배 또는 100배를 하여 (자연수)÷(자연수)로 바꾸어 다음과 같이 계산하였습니다.

- 39.6÷0.3 ⇨ 나누는 수와 나누어지는 수에 10을 곱하여 계산하면
  396÷3=132이므로 39.6÷0.3=132
- 3.96÷0.03 ⇨ 나누는 수와 나누어지는 수에 100을 곱하여 계산하면
  396÷3=132이므로 3.96÷0.03=132

그렇다면 1.8÷0.6, 1.15÷0.23과 같이 자릿수가 같은 (소수)÷(소수)는 어떻게 계산할까요?

소수 한 자리 수의 (소수)÷(소수)는 분모가 10인 분수로 고쳐서 분수의 나눗셈으로 계산하거나 나누는 수와 나누어지는 수를 10배 하여 소수점을 각각 오른쪽으로 한 자리씩 옮겨서 세로로 다음과 같이 계산합니다.

[방법 1] 분수의 나눗셈으로 계산	[방법 2] 소수점을 옮겨 세로로 계산
$1.8\div0.6=\frac{18}{10}\div\frac{6}{10}$ $=18\div6=3$	$0.6\overline{)1.8}$ ⇨ $6\overline{)18}$, 몫 3, 18, 0 소수점을 오른쪽으로 한 자리씩 옮기기

세로 계산에서 몫을 쓸 때 옮긴 소수점의 위치에서 소수점을 찍어 주어야 합니다.

소수 두 자리 수의 (소수)÷(소수)는 분모가 100인 분수로 고쳐서 분수의 나눗셈으로 계산하거나 나누는 수와 나누어지는 수를 100배 하여 소수점을 각각 오른쪽으로 두 자리씩 옮겨서 세로로 다음과 같이 계산합니다.

[방법 1] 분수의 나눗셈으로 계산	[방법 2] 소수점을 옮겨 세로로 계산
$1.15\div0.23=\frac{115}{100}\div\frac{23}{100}$ $=115\div23=5$	$0.23\overline{)1.15}$ ⇨ $23\overline{)115}$, 몫 5, 115, 0 소수점을 오른쪽으로 두 자리씩 옮기기

풍산자 비법

자릿수가 같은 (소수)÷(소수) ⇨ 세로 계산에서 나누는 수와 나누어지는 수의 소수점을 같은 자리만큼 옮겨 계산한다.

예제 따라 풀어보는 연산

예제 1 $5.1 \div 0.3 = \frac{51}{10} \div \frac{3}{10} = 51 \div 3 = 17$

01 $3.6 \div 0.9 =$	**02** $5.6 \div 0.4 =$
03 $7.2 \div 1.2 =$	**04** $1.74 \div 0.03 =$
05 $3.68 \div 0.46 =$	**06** $7.15 \div 0.55 =$

예제 2 $0.4\overline{)3.6}$ ⇨ $4\overline{)36}$, 몫 9, 36, 0

07 $0.9\overline{)10.8}$	**08** $0.5\overline{)24.5}$	**09** $1.2\overline{)8.4}$
10 $0.19\overline{)1.14}$	**11** $0.13\overline{)1.56}$	**12** $1.17\overline{)5.85}$

스스로 풀어보는 연산

[13-18] 분수의 나눗셈으로 계산해 보시오.

13 $25.4 \div 0.2=$	**14** $12.3 \div 0.3=$
15 $42.7 \div 0.7=$	**16** $2.99 \div 0.23=$
17 $2.55 \div 0.17=$	**18** $3.45 \div 0.15=$

[19-27] 세로로 계산해 보시오.

19 $0.7\overline{)12.6}$	**20** $0.3\overline{)23.4}$	**21** $1.4\overline{)25.2}$
22 $1.9\overline{)20.9}$	**23** $0.14\overline{)1.26}$	**24** $0.25\overline{)1.75}$
25 $0.15\overline{)1.95}$	**26** $0.66\overline{)7.92}$	**27** $0.45\overline{)3.15}$

응용 연산

[28-29] 두 가지 방법으로 계산하시오.

28 $36.4 \div 1.4 =$

[방법 1] ⇨

[방법 2] ⇨

29 $4.92 \div 0.06 =$

[방법 1] ⇨

[방법 2] ⇨

[30-31] 빈칸에 알맞은 수를 써넣으시오.

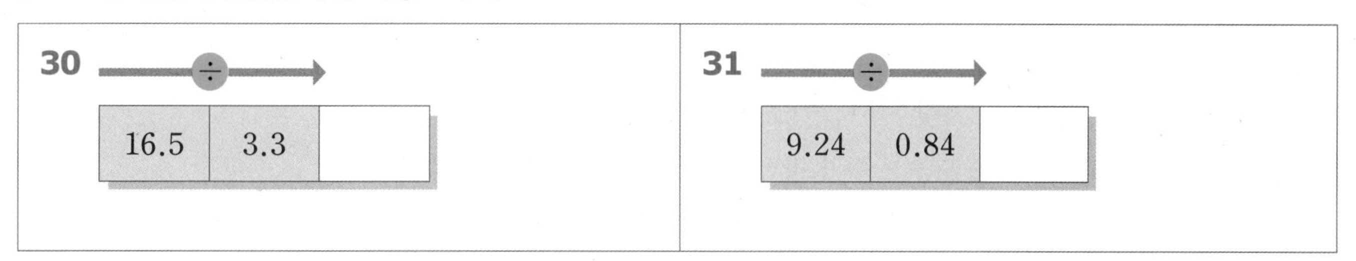

[32-33] 계산 결과를 비교하여 ○ 안에 >, =, <를 알맞게 써넣으시오.

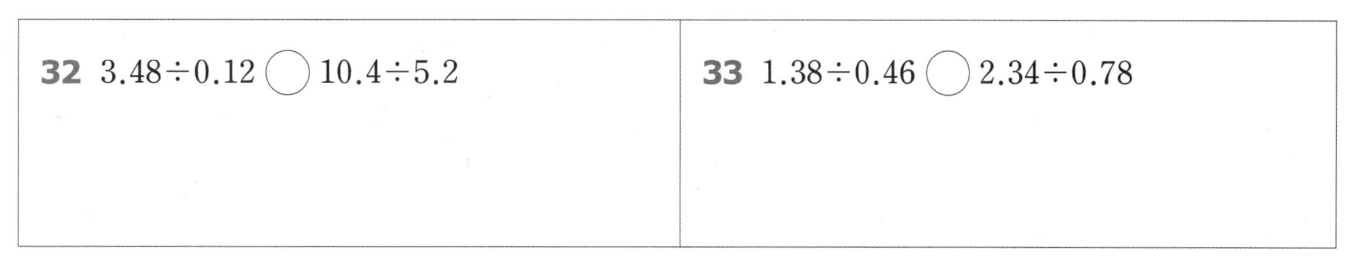

[34-35] 몫이 큰 것부터 차례대로 기호를 쓰시오.

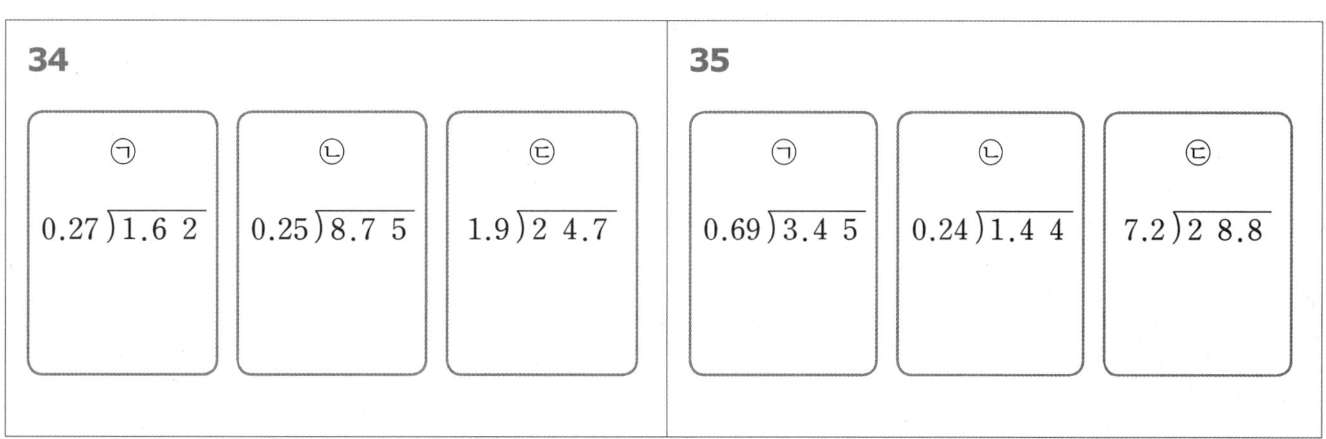

07 (소수)÷(소수) (3)

우리는 앞 단원에서 1.44÷0.16과 같이 자릿수가 같은 (소수)÷(소수)를 계산하는 방법을 알아보았습니다.
자릿수가 같은 (소수)÷(소수)는 분수의 나눗셈으로 계산하거나 나누는 수와 나누어지는 수의 소수점을 같은 자리만큼 옮겨 세로로 다음과 같이 계산하였습니다.

[방법 1] 분수의 나눗셈으로 계산	[방법 2] 소수점을 옮겨 세로로 계산
$1.44 \div 0.16 = \frac{144}{100} \div \frac{16}{100}$ $= 144 \div 16$ $= 9$	$0.16\overline{)1.44}$ ⇨ $16\overline{)144}$, 몫 9, 144, 0 소수점을 오른쪽으로 두 자리씩 옮기기

그렇다면 3.91÷1.7과 같이 자릿수가 다른 (소수)÷(소수)는 어떻게 계산할까요?
자릿수가 다른 (소수)÷(소수)는 나누는 수가 자연수가 되도록 10배 또는 100배 하여 나누는 수와 나누어지는 수의 소수점을 오른쪽으로 같은 자리만큼 옮겨서 세로로 다음과 같이 계산합니다.
이때 몫의 소수점은 나누어지는 수의 옮긴 소수점과 같은 위치에 찍습니다.

나누는 수와 나누어지는 수를 10배 하여 39.1÷17로 계산	나누는 수와 나누어지는 수를 100배 하여 391÷170으로 계산
$1.7\overline{)3.91}$ ⇨ $17\overline{)39.1}$, 몫 2.3, 34, 51, 51, 0 소수점을 오른쪽으로 한 자리씩 옮깁니다.	$1.70\overline{)3.91}$ ⇨ $170\overline{)391}$, 몫 2.3, 340, 510, 510, 0 소수점을 오른쪽으로 두 자리씩 옮깁니다.
⇨ 39.1÷17과 3.91÷1.7의 몫은 같습니다.	⇨ 391÷170과 3.91÷1.7의 몫은 같습니다.

1.7과 같이 소수 한 자리 수를 100배 한 경우에는 가장 마지막 수의 끝에 0을 적어 나타냅니다.

풍산자 비법
자릿수가 다른 (소수)÷(소수) ⇨ 세로 계산에서 나누는 수가 자연수가 되도록 소수점을 옮겨서 계산한다.

예제 따라 풀어보는 연산

예제 1

$2.7\overline{)7.56} \Rightarrow 27\overline{)75.6}$ = 2.8

$$\begin{array}{r} 2.8 \\ 27\overline{)75.6} \\ 54 \\ \hline 216 \\ 216 \\ \hline 0 \end{array}$$

01 $1.4\overline{)5.18}$	**02** $2.3\overline{)5.29}$	**03** $1.1\overline{)1.43}$
04 $3.1\overline{)5.89}$	**05** $4.2\overline{)7.56}$	**06** $5.5\overline{)9.35}$

예제 2

$2.70\overline{)7.56} \Rightarrow 270\overline{)756}$

$$\begin{array}{r} 2.8 \\ 270\overline{)756} \\ 540 \\ \hline 2160 \\ 2160 \\ \hline 0 \end{array}$$

07 $0.4\overline{)2.56}$	**08** $0.7\overline{)2.24}$	**09** $2.3\overline{)5.06}$
10 $2.4\overline{)4.08}$	**11** $1.9\overline{)7.22}$	**12** $3.7\overline{)8.88}$

스스로 풀어보는 연산

13 $0.8\overline{)1.92}$	14 $1.7\overline{)1.87}$	15 $5.2\overline{)9.88}$
16 $2.1\overline{)3.57}$	17 $2.2\overline{)3.96}$	18 $2.9\overline{)5.51}$
19 $0.6\overline{)3.12}$	20 $1.4\overline{)7.14}$	21 $5.5\overline{)2.75}$
22 $1.7\overline{)1.36}$	23 $4.3\overline{)8.17}$	24 $0.9\overline{)1.62}$
25 $2.4\overline{)7.92}$	26 $3.7\overline{)9.25}$	27 $1.8\overline{)1.44}$

[28-29] 직사각형의 넓이와 가로가 다음과 같을 때, □ 안에 알맞은 수를 써넣으시오.

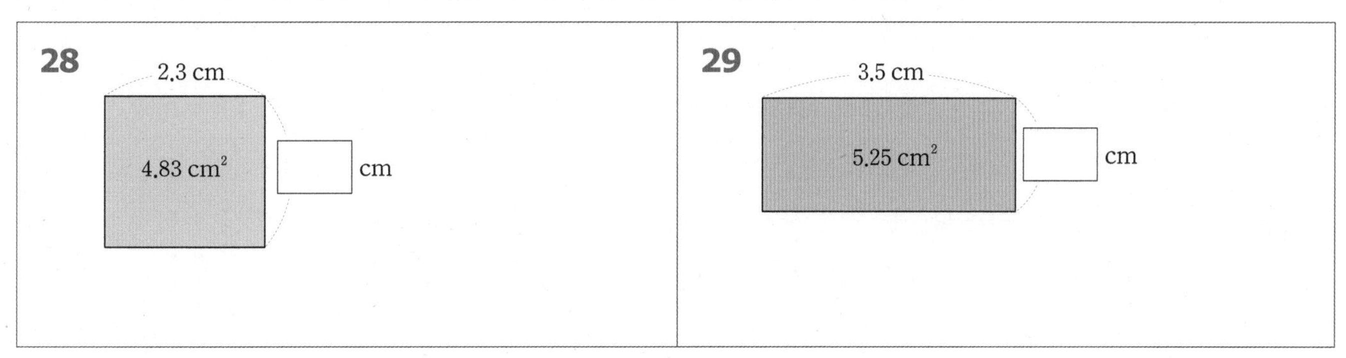

[30-31] 큰 수를 작은 수로 나눈 몫을 빈칸에 써넣으시오.

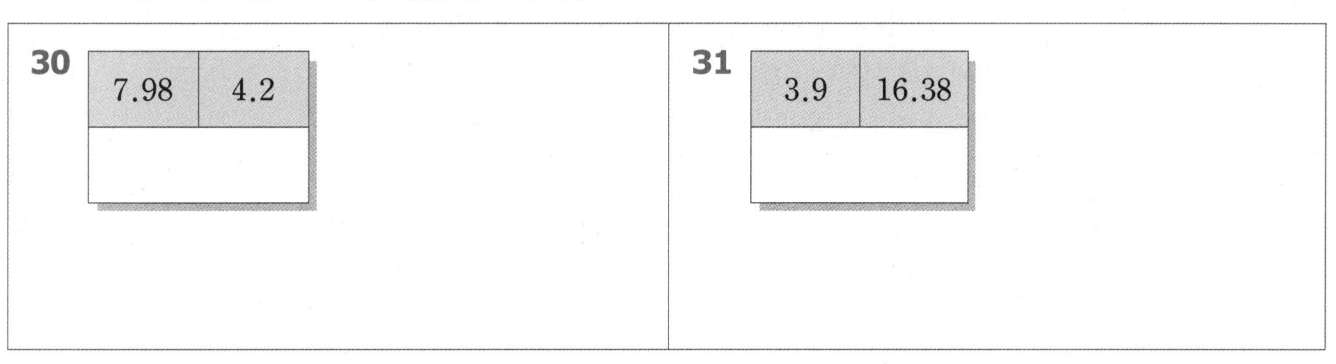

[32-33] □ 안에 알맞은 수를 써넣으시오.

32 $\square \times 1.6 = 2.24$

33 $\square \times 1.4 = 3.08$

[34-35] 계산 결과를 비교하여 ○ 안에 >, =, <를 알맞게 써넣으시오.

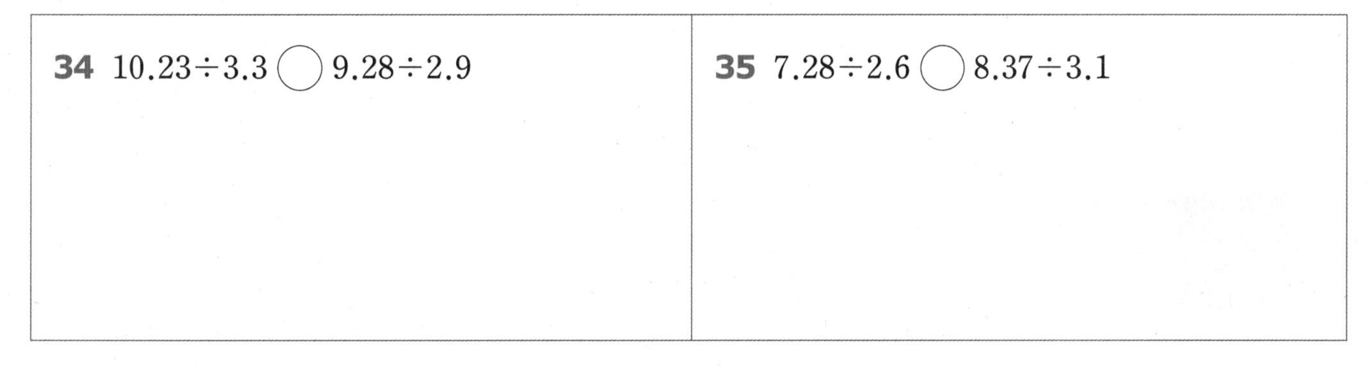

(자연수)÷(소수)

우리는 앞 단원에서 14.58÷2.7과 같이 자릿수가 다른 (소수)÷(소수)를 계산하는 방법을 알아보았습니다.
자릿수가 다른 (소수)÷(소수)는 나누는 수가 자연수가 되도록 10배 또는 100배 하여 나누는 수와 나누어지는 수의 소수점을 오른쪽으로 같은 자리만큼 옮겨서 세로로 계산하였습니다.

```
2.7)14.58
     ⇩
      5.4
27)145.8
   135
    108
    108
      0
```

그렇다면 18÷4.5, 6÷0.25와 같은 (자연수)÷(소수)는 어떻게 계산할까요?
(자연수)÷(소수 한 자리 수)는 분모가 10인 분수로 고쳐서 분수의 나눗셈으로 계산하거나 나누는 수가 자연수가 되도록 나누는 수와 나누어지는 수를 10배 하여 소수점을 각각 오른쪽으로 한 자리씩 옮겨서 세로로 다음과 같이 계산합니다.

[방법 1] 분수의 나눗셈으로 계산	[방법 2] 소수점을 옮겨 세로로 계산
$18\div4.5=\frac{180}{10}\div\frac{45}{10}$ $=180\div45$ $=4$	4.5)18.0 ⇨ 45)180 (몫 4) 180 0

세로 계산에서 소수점을 옮긴 자릿수만큼 나누어지는 수의 오른쪽 끝에 0을 붙인 후 계산합니다.

(자연수)÷(소수 두 자리 수)는 분모가 100인 분수로 고쳐서 분수의 나눗셈으로 계산하거나 나누는 수가 자연수가 되도록 나누는 수와 나누어지는 수를 100배 하여 소수점을 각각 오른쪽으로 두 자리씩 옮겨서 세로로 다음과 같이 계산합니다.

[방법 1] 분수의 나눗셈으로 계산	[방법 2] 소수점을 옮겨 세로로 계산
$6\div0.25=\frac{600}{100}\div\frac{25}{100}$ $=600\div25$ $=24$	0.25)6.00 ⇨ 25)600 (몫 24) 50 100 100 0

풍산자 비법

(자연수)÷(소수) ⇨ 자연수의 오른쪽에 소수점과 0이 있는 것으로 생각하고 세로 계산에서 소수점을 옮긴다.

예제 따라 풀어보는 연산

예제 1

$27 \div 0.3 = \frac{270}{10} \div \frac{3}{10} = 270 \div 3 = 90$

01 $63 \div 0.9 =$	**02** $39 \div 2.6 =$	**03** $44 \div 1.1 =$
04 $3 \div 0.75 =$	**05** $6 \div 0.08 =$	**06** $5 \div 1.25 =$

예제 2

$1.5\overline{)24}$ ⇨ $1.5\overline{)24.0}$ ⇨ $15\overline{)240}$

```
      1 6
15) 2 4 0
    1 5
      9 0
      9 0
        0
```

07 $1.6\overline{)56}$	**08** $3.1\overline{)62}$	**09** $2.2\overline{)33}$
10 $0.05\overline{)4}$	**11** $0.32\overline{)8}$	**12** $1.75\overline{)7}$

스스로 풀어보는 연산

13 $54 \div 2.7 =$	**14** $69 \div 2.3 =$
15 $18 \div 0.6 =$	**16** $27 \div 1.8 =$
17 $92 \div 2.3 =$	**18** $64 \div 0.8 =$
19 $72 \div 3.6 =$	**20** $35 \div 1.4 =$
21 $5 \div 0.04 =$	**22** $2 \div 0.25 =$
23 $3 \div 0.12 =$	**24** $8 \div 0.25 =$
25 $275 \div 2.75 =$	**26** $609 \div 1.05 =$

응용 연산

[27-28] □ 안에 알맞은 수를 써넣으시오.

27 $100 \div 4 = \square$

$100 \div 0.4 = \square$

$100 \div 0.04 = \square$

28 $224 \div 8 = \square$

$2.24 \div 0.8 = \square$

$2.24 \div 0.08 = \square$

[29-30] 직사각형의 넓이와 가로가 다음과 같을 때, □ 안에 알맞은 수를 써넣으시오.

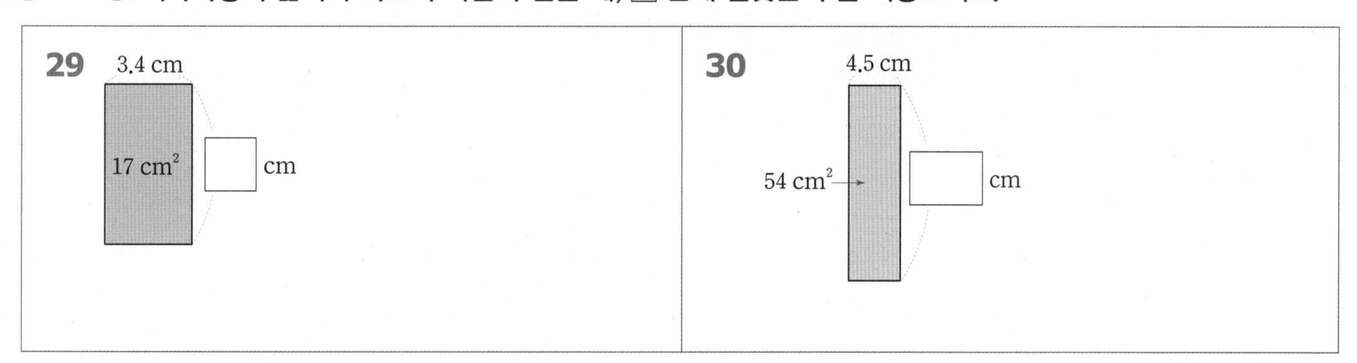

[31-32] □ 안에 알맞은 수를 써넣으시오.

31 $\square \times 1.6 = 40$

32 $\square \times 3.25 = 52$

[33-34] 계산 결과를 비교하여 ○ 안에 >, =, <를 알맞게 써넣으시오.

33 $168 \div 10.5$ ○ $182 \div 6.5$

34 $306 \div 3.6$ ○ $9 \div 0.12$

몫의 반올림과 나누어 주고 남는 양

우리는 **[수학 5-2]** 수의 범위와 어림하기에서 반올림을 알아보았습니다. 반올림은 구하려는 자리 바로 아래 자리의 숫자가 0, 1, 2, 3, 4이면 버리고 5, 6, 7, 8, 9이면 올리는 방법이었습니다.

3.273을 반올림하여 나타내기
- 자연수로 나타내면
  3.273 ⇨ 3
- 소수 첫째 자리까지 나타내면
  3.273 ⇨ 3.3
- 소수 둘째 자리까지 나타내면
  3.273 ⇨ 3.27

그렇다면 1.54÷0.6과 같이 몫이 간단한 소수로 구해지지 않는 나눗셈의 몫은 어떻게 나타낼까요?

나눗셈의 몫이 나누어떨어지지 않거나 간단한 소수로 구해지지 않고 너무 복잡해질 때에는 몫을 반올림하여 나타낼 수 있습니다. 이때 몫을 반올림하여 나타내려면 구하려는 자리 바로 아래 자리에서 반올림해야 합니다.

```
      2.5 6 6
0.6)1.5 4 0 0
    1 2
    ---
      3 4
      3 0
      ---
        4 0
        3 6
        ---
          4 0
          3 6
          ---
            4
```

- 몫을 반올림하여 자연수로 나타내기
  2.566…… ⇨ 3 (몫의 소수 첫째 자리에서 반올림합니다.)
- 몫을 반올림하여 소수 첫째 자리까지 나타내기
  2.566…… ⇨ 2.6 (몫의 소수 둘째 자리에서 반올림합니다.)
- 몫을 반올림하여 소수 둘째 자리까지 나타내기
  2.566…… ⇨ 2.57 (몫의 소수 셋째 자리에서 반올림합니다.)

또한 소수의 나눗셈에서 남는 양을 알아볼까요?

우유 10.8 L를 한 사람에게 3 L씩 나누어 주려고 할 때, 나누어 줄 수 있는 사람 수와 남는 우유의 양은 얼마인지 알아봅시다.

[방법 1] 뺄셈식으로 계산	[방법 2] 세로로 계산
10.8−3−3−3=1.8이므로 10.8에서 3씩 3번 빼면 1.8이 남습니다.	3 ← 몫 3)1 0.8 9 1.8 ← 나머지

사람 수는 자연수로 나타나므로 10.8÷3의 몫을 자연수 부분까지만 구합니다.

즉, 우유 10.8 L를 3 L씩 3명에게 나누어 줄 수 있고 남는 우유의 양은 1.8 L입니다.

풍산자 비법

나눗셈의 몫이 나누어떨어지지 않거나 복잡해질 때에는 몫을 반올림하여 나타낸다.

예제 따라 풀어보는 연산

예제 1 몫을 반올림하여 주어진 자리까지 나타내시오.

$14 \div 6 = 2.3333\cdots\cdots$

⇨ 자연수로 나타내기: 2
소수 첫째 자리까지 나타내기: 2.3
소수 둘째 자리까지 나타내기: 2.33

01 $11 \div 9$ ⇨ 자연수로 나타내기: 소수 첫째 자리까지 나타내기: 소수 둘째 자리까지 나타내기:	**02** $12 \div 7$ ⇨ 자연수로 나타내기: 소수 첫째 자리까지 나타내기: 소수 둘째 자리까지 나타내기:
03 $1.5 \div 1.3$ ⇨ 자연수로 나타내기: 소수 첫째 자리까지 나타내기: 소수 둘째 자리까지 나타내기:	**04** $4.2 \div 1.7$ ⇨ 자연수로 나타내기: 소수 첫째 자리까지 나타내기: 소수 둘째 자리까지 나타내기:
05 $1.4 \div 0.9$ ⇨ 자연수로 나타내기: 소수 첫째 자리까지 나타내기: 소수 둘째 자리까지 나타내기:	**06** $2.59 \div 0.6$ ⇨ 자연수로 나타내기: 소수 첫째 자리까지 나타내기: 소수 둘째 자리까지 나타내기:

예제 2 음료수 6.2 L를 한 사람에게 2 L씩 나누어 주려고 할 때, 나누어 줄 수 있는 사람 수와 남는 음료수의 양을 구하시오.

⇨ 음료수 6.2 L를 2 L씩 3명에게 나누어 줄 수 있고 남는 음료수의 양은 0.2 L입니다.

$$\begin{array}{r} 3 \\ 2\,\overline{)\,6.2} \\ 6 \\ \hline 0.2 \end{array}$$

07 주스 8.9 L를 3 L씩 □명에게 나누어 줄 수 있고 남는 주스의 양은 □L입니다.	**08** 물 13.4 L를 4 L씩 □명에게 나누어 줄 수 있고 남는 물의 양은 □L입니다.
09 리본 18.3 m를 3 m씩 □명에게 나누어 줄 수 있고 남는 리본의 길이는 □m입니다.	**10** 페인트 24.8 L를 9 L씩 □명에게 나누어 줄 수 있고 남는 페인트의 양은 □L입니다.

스스로 풀어보는 연산

[11-16] 몫을 반올림하여 주어진 자리까지 나타내시오.

11 $15 \div 7$ ⇨ 자연수로 나타내기: 소수 첫째 자리까지 나타내기: 소수 둘째 자리까지 나타내기:	**12** $10 \div 3$ ⇨ 자연수로 나타내기: 소수 첫째 자리까지 나타내기: 소수 둘째 자리까지 나타내기:
13 $8.5 \div 0.9$ ⇨ 자연수로 나타내기: 소수 첫째 자리까지 나타내기: 소수 둘째 자리까지 나타내기:	**14** $4.7 \div 1.3$ ⇨ 자연수로 나타내기: 소수 첫째 자리까지 나타내기: 소수 둘째 자리까지 나타내기:
15 $27.7 \div 5.6$ ⇨ 자연수로 나타내기: 소수 첫째 자리까지 나타내기: 소수 둘째 자리까지 나타내기:	**16** $55.4 \div 9$ ⇨ 자연수로 나타내기: 소수 첫째 자리까지 나타내기: 소수 둘째 자리까지 나타내기:

[17-22] 리본 ★ m를 한 사람에게 ♣ m씩 나누어 주는 것을 (★, ♣)와 같이 나타냅니다.
나누어 줄 수 있는 사람 수와 남는 리본의 길이를 구해 보시오.

17 (13.6, 3) (　　　)명 (　　　) m	**18** (24.8, 6) (　　　)명 (　　　) m
19 (15.6, 5) (　　　)명 (　　　) m	**20** (19.9, 8) (　　　)명 (　　　) m
21 (34.5, 5) (　　　)명 (　　　) m	**22** (17.8, 6) (　　　)명 (　　　) m

응용 연산

[23-24] 몫을 소수 셋째 자리까지 계산하고, 반올림하여 소수 둘째 자리까지 나타내시오.

23 $6 \div 13 =$	**24** $2.63 \div 7 =$

[25-26] 몫을 반올림하여 소수 둘째 자리까지 나타낸 수가 큰 것부터 차례대로 기호를 쓰시오.

25 ㉠ $5.2 \div 0.7$ ㉡ $6.5 \div 1.6$ ㉢ $3.8 \div 9$	**26** ㉠ $13.7 \div 4.6$ ㉡ $18.4 \div 7$ ㉢ $6.3 \div 1.9$

[27-28] 계산 결과를 비교하여 ○ 안에 $>$, $=$, $<$를 알맞게 써넣으시오.

27 $6.234 \div 2$의 몫을 반올림하여 자연수로 나타낸 수 ○ $6.234 \div 2$	**28** $14.75 \div 3$의 몫을 반올림하여 자연수로 나타낸 수 ○ $14.75 \div 3$

29 선물을 하나 포장하는 데 리본 3 m가 필요합니다. 길이가 557.1 m인 리본으로 선물을 몇 개까지 포장할 수 있고, 남는 리본은 몇 m인지 구하시오.	**30** 상자 하나를 묶는 데 끈 4 m가 필요합니다. 길이가 809.2 m인 끈으로 상자를 몇 개까지 묶을 수 있고, 남는 끈은 몇 m인지 구하시오.

재미있게, 우리 연산하자!

지금까지 우리는 소수의 나눗셈을 배웠습니다.
힘들었을 텐데, 잘 풀었어요!

자, 그럼 마지막으로 지금까지 배운 소수의 나눗셈을 모두 이용해서
아래 미로를 탈출해 볼까요?
마지막 ⑩에 해당하는 수를 구해 봅시다.

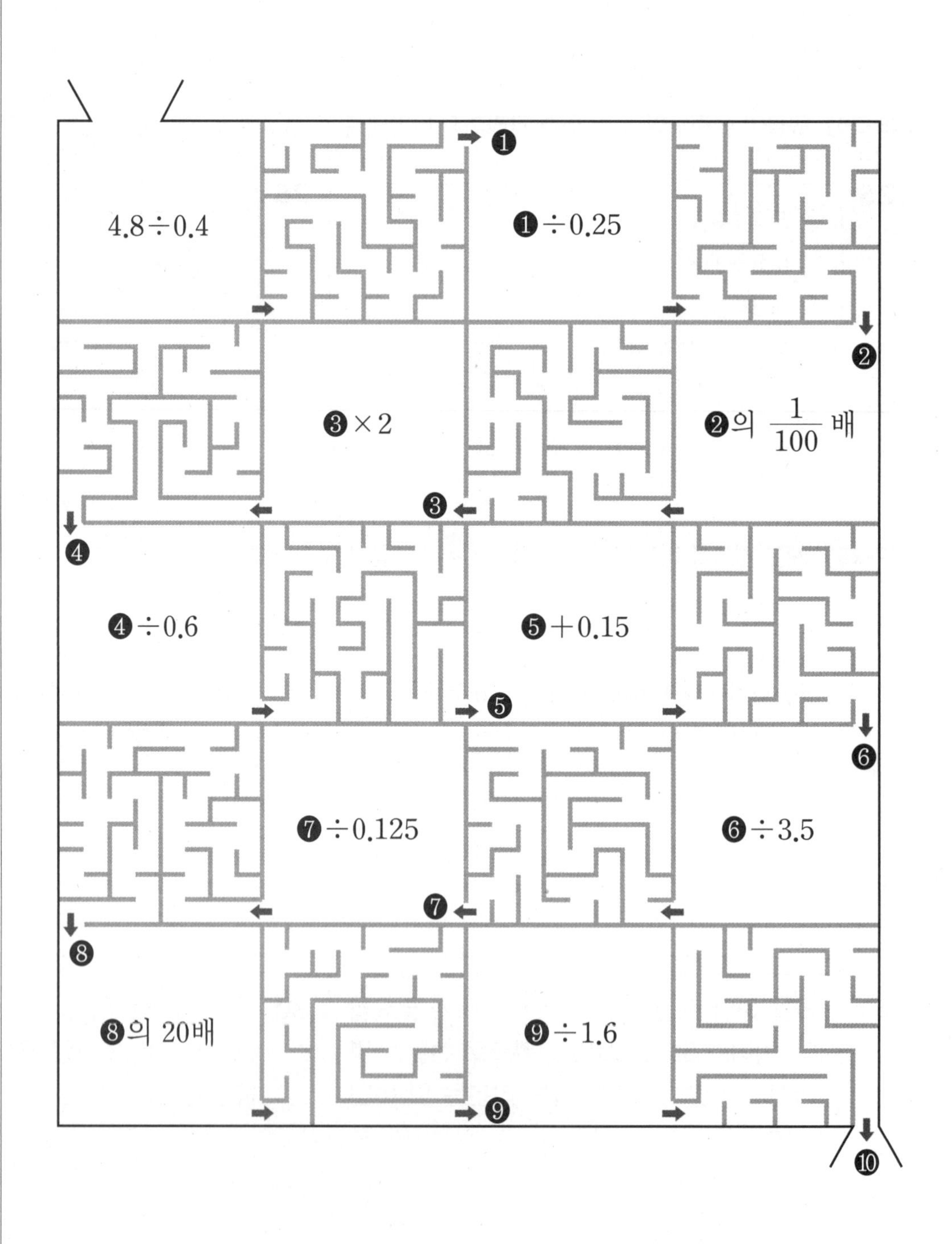

3

공간과 입체

위, 앞, 옆에서 본 모양

우리는 **[수학 2-1]** 여러 가지 도형에서 쌓기나무로 여러 가지 모양을 만들어 보았습니다. 쌓기나무 4개를 2층으로 쌓아 모양을 만들면 다음과 같이 여러 가지 모양을 만들 수 있었습니다.

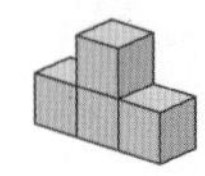 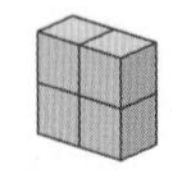 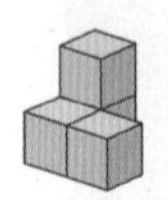 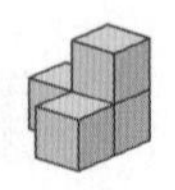

그렇다면 쌓기나무로 쌓은 모양은 어떻게 정확한 모양을 알 수 있을까요?

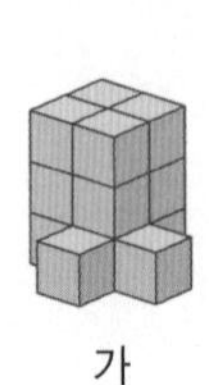
가

위에서 본 모양

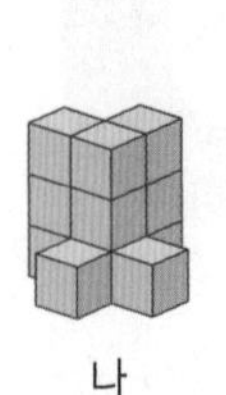
나

위에서 본 모양

가와 똑같은 모양으로 쌓는 데 필요한 쌓기나무는 14개입니다.

가는 위에서 본 모양을 알면 뒤에 숨겨진 쌓기나무를 나타낼 수 있어 쌓기나무로 쌓은 모양과 쌓기나무의 개수를 정확히 알 수 있습니다.
나는 위에서 본 모양을 알아도 뒤에 보이지 않는 부분이 1개인지 2개인지 알 수 없기 때문에 쌓기나무로 쌓은 모양과 쌓기나무의 개수를 정확히 알 수 없습니다.
즉, 쌓기나무로 쌓은 모양과 위에서 본 모양으로는 쌓은 모양과 쌓기나무의 개수를 정확히 알 수 없는 경우도 있습니다.
다는 위, 앞, 옆에서 본 모양을 알면 쌓기나무로 쌓은 모양과 쌓기나무의 개수를 정확히 알 수 있습니다.

뒤에 숨을 수 있는 쌓기나무 모양

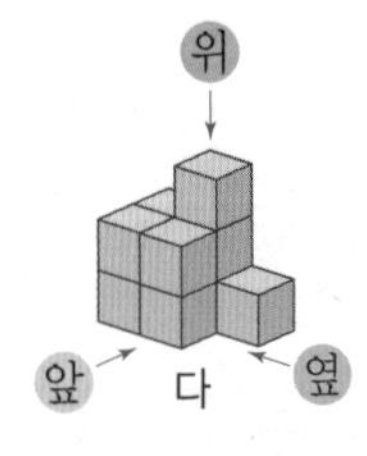

다

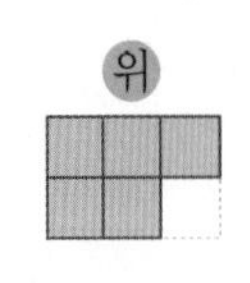

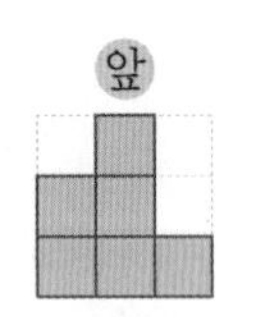

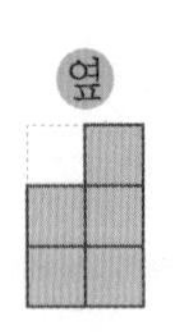

다와 똑같은 모양으로 쌓는 데 필요한 쌓기나무는 10개입니다.

이때 쌓기나무로 쌓은 모양을 위에서 본 모양은 바닥에 닿은 면의 모양과 같고, 앞에서 본 모양과 옆에서 본 모양은 각 방향에서 가장 높은 층의 모양과 같습니다.

풍산자 비법

위에서 본 모양은 바닥에 닿은 면의 모양과 같고
앞과 옆에서 본 모양은 각 방향에서 가장 높은 층의 모양과 같다.

예제 따라 풀어보는 연산

예제 1 쌓기나무로 쌓은 모양과 위에서 본 모양입니다. 앞과 옆에서 본 모양을 각각 그리시오.

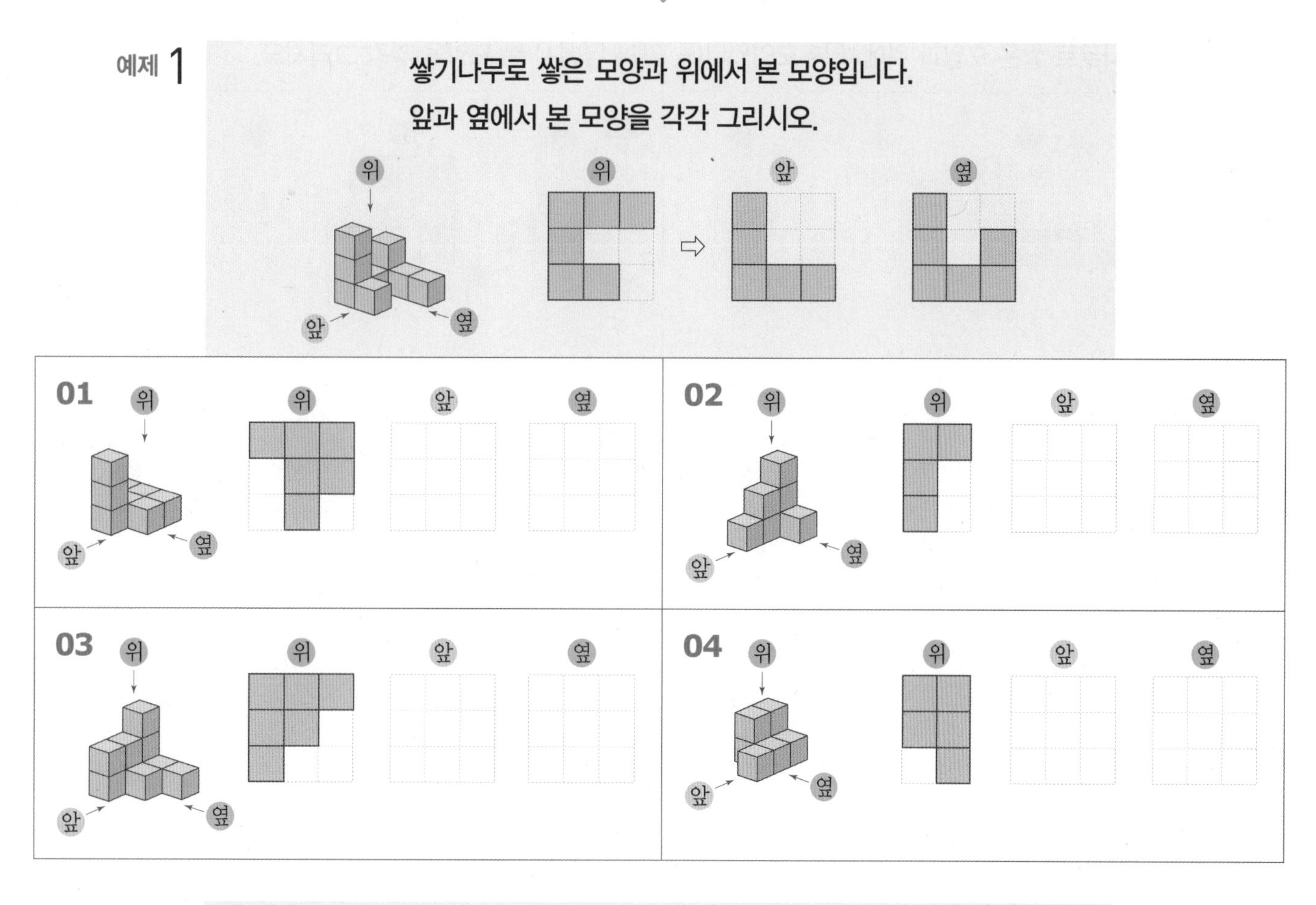

예제 2 쌓기나무로 쌓은 모양을 위, 앞, 옆에서 본 모양입니다. 똑같은 모양으로 쌓는 데 필요한 쌓기나무의 개수를 구하시오.

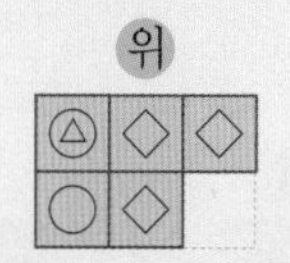

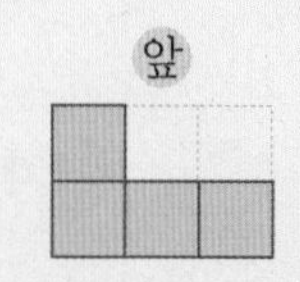

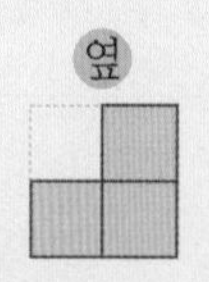

⇨ 앞에서 본 모양을 보면 ◇ 부분은 쌓기나무가 각각 1개이고, ○ 부분은 2개 이하입니다. 옆에서 본 모양을 보면 ○ 부분 중 △ 부분은 쌓기나무가 2개이고, 나머지는 1개입니다. 따라서 똑같은 모양으로 쌓는 데 필요한 쌓기나무는 6개입니다.

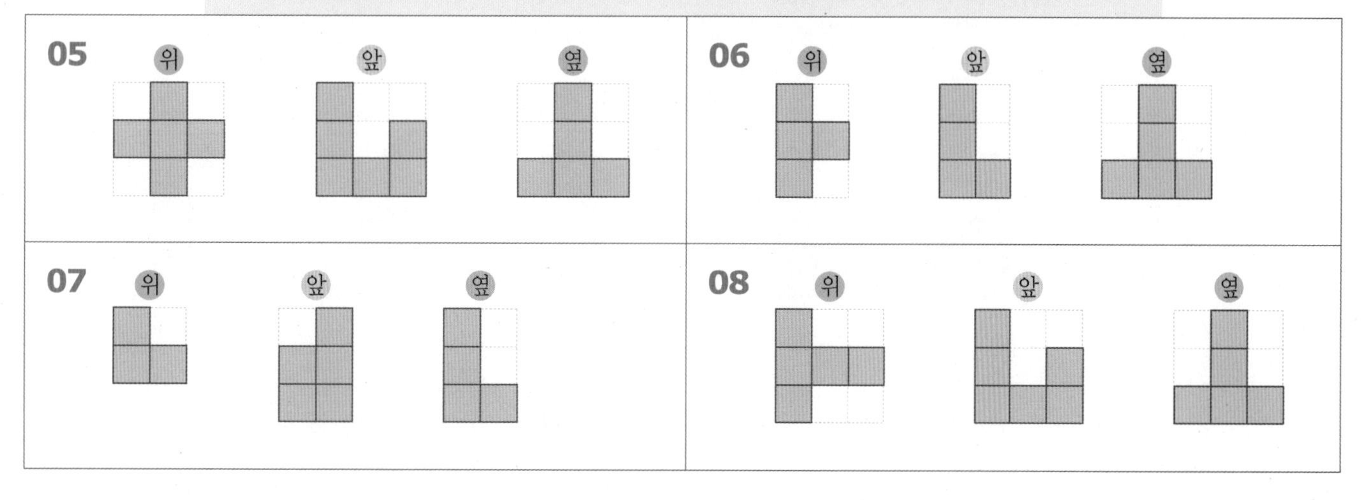

스스로 풀어보는 연산

[09-12] 쌓기나무로 쌓은 모양과 위에서 본 모양입니다. 앞과 옆에서 본 모양을 각각 그리시오.

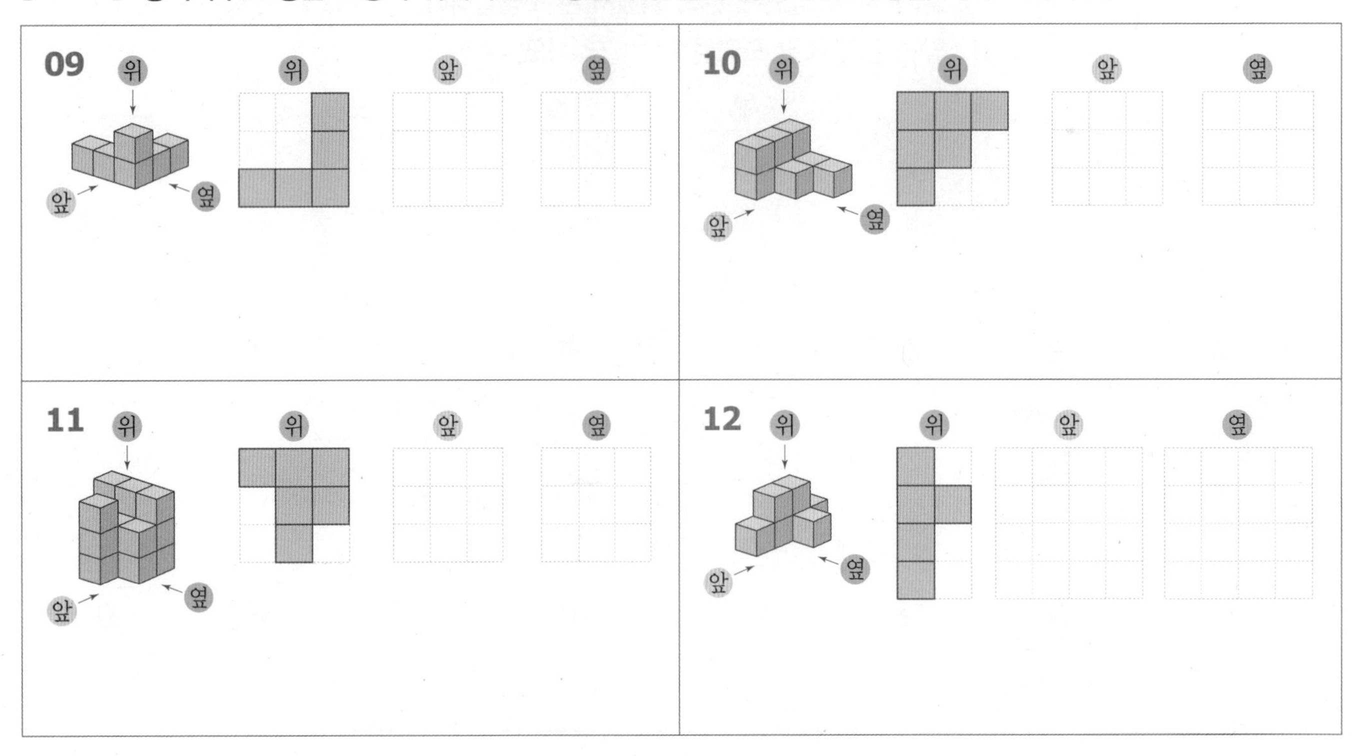

[13-16] 쌓기나무로 쌓은 모양을 위, 앞, 옆에서 본 모양입니다. 똑같은 모양으로 쌓는 데 필요한 쌓기나무의 개수를 구하시오.

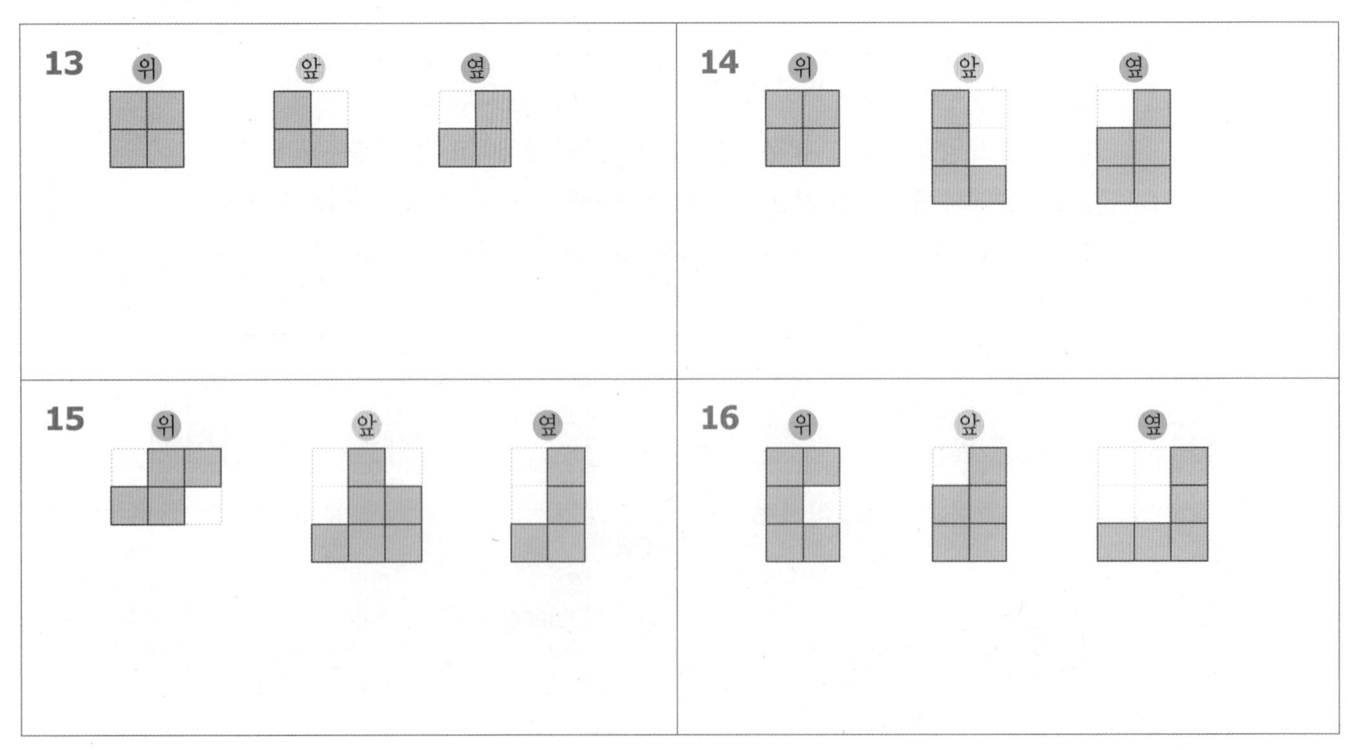

응용 연산

[17-18] 쌓기나무로 쌓은 모양을 보고 옆에서 본 모양을 그렸습니다. 관계있는 것끼리 이어 보시오.

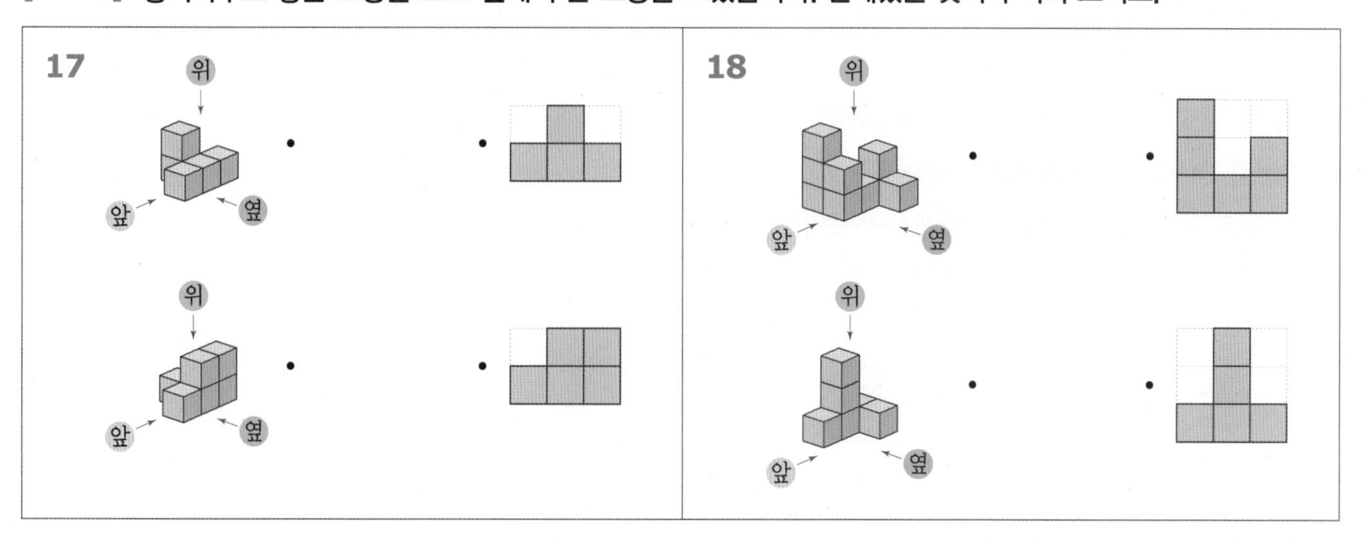

[19-20] 쌓기나무로 쌓은 모양과 위, 앞, 옆에서 본 모양 중 하나입니다. 괄호 안에 알맞은 방향을 써넣으시오.

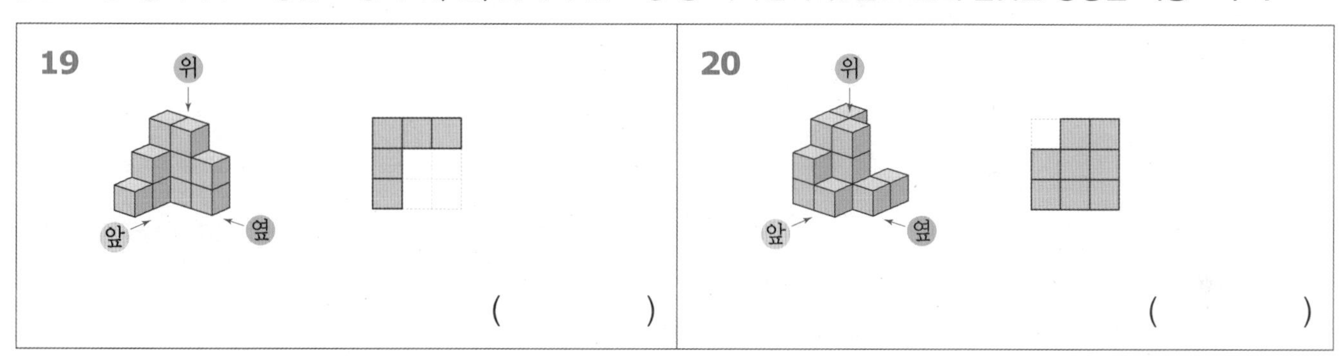

[21-22] 쌓기나무로 쌓은 모양을 위, 앞, 옆에서 본 모양으로 알맞게 쌓은 모양을 찾아 기호를 쓰시오.

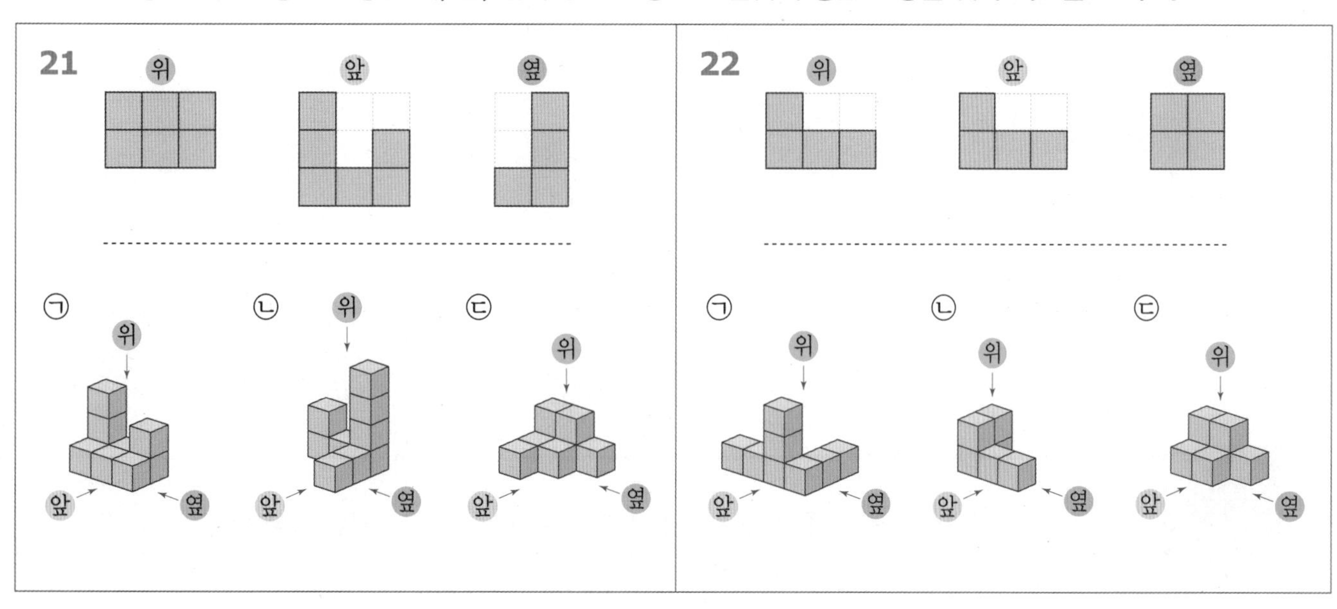

11 위에서 본 모양에 쓴 수

우리는 앞 단원에서 쌓기나무로 쌓은 모양과 위, 앞, 옆에서 본 모양을 보고 쌓은 모양과 쌓기나무의 개수를 알아보았습니다.
쌓기나무로 쌓은 모양을 위, 앞, 옆에서 본 모양으로 쌓은 모양과 쌓기나무의 개수를 다음과 같이 정확히 알 수 있었습니다.

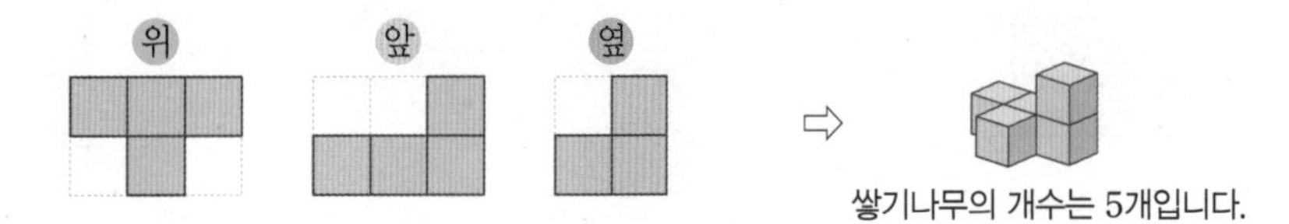

쌓기나무의 개수는 5개입니다.

그렇다면 쌓기나무로 쌓은 모양을 위, 앞, 옆에서 본 모양으로 쌓은 모양과 쌓기나무의 개수를 항상 정확하게 알 수 있을까요?
쌓기나무로 쌓은 모양을 위, 앞, 옆에서 본 모양을 보고 만든 쌓은 모양은 다음과 같이 다양한 경우가 있을 수 있습니다.

쌓기나무의 개수는 각각 6개, 7개, 8개입니다.

쌓기나무로 쌓은 모양을 나타낼 때 위, 앞, 옆에서 본 모양으로는 여러 가지 모양으로 쌓을 수도 있어서 쌓은 모양을 정확하게 알 수 없는 경우가 있습니다.

쌓은 모양과 쌓기나무의 개수가 한 가지만 나타나는 경우는 쌓기나무로 쌓은 모양을 위에서 본 모양의 각 자리에 쌓인 쌓기나무의 개수를 쓴 것을 보고 모양을 만드는 경우입니다.
이때 사용된 쌓기나무의 개수를 한 가지 경우로만 알 수 있기 때문에 쌓은 모양과 쌓기나무의 개수를 정확하게 알 수 있습니다.

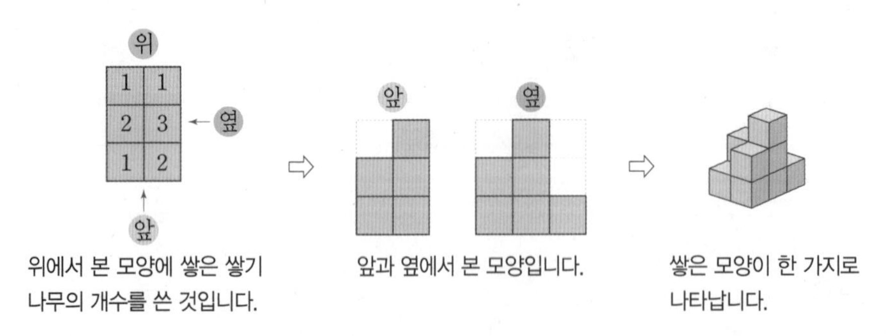

위에서 본 모양에 쌓은 쌓기나무의 개수를 쓴 것입니다.
앞과 옆에서 본 모양입니다.
쌓은 모양이 한 가지로 나타납니다.

똑같은 모양으로 쌓는 데 필요한 쌓기나무의 개수는 위에서 본 모양에 쓰인 수를 모두 더하면 됩니다.

풍산자 비법

위에서 본 모양에 수를 쓴 것을 보고 쌓은 모양은 한 가지만 나타난다.

예제 따라 풀어보는 연산

예제 1 쌓기나무로 쌓은 모양을 보고 위에서 본 모양에 수를 써넣으시오.

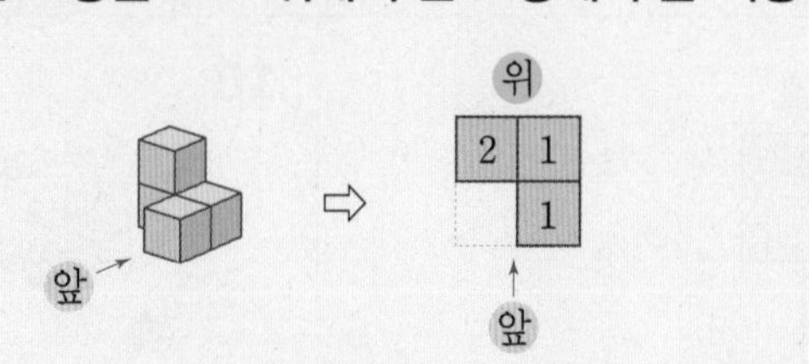

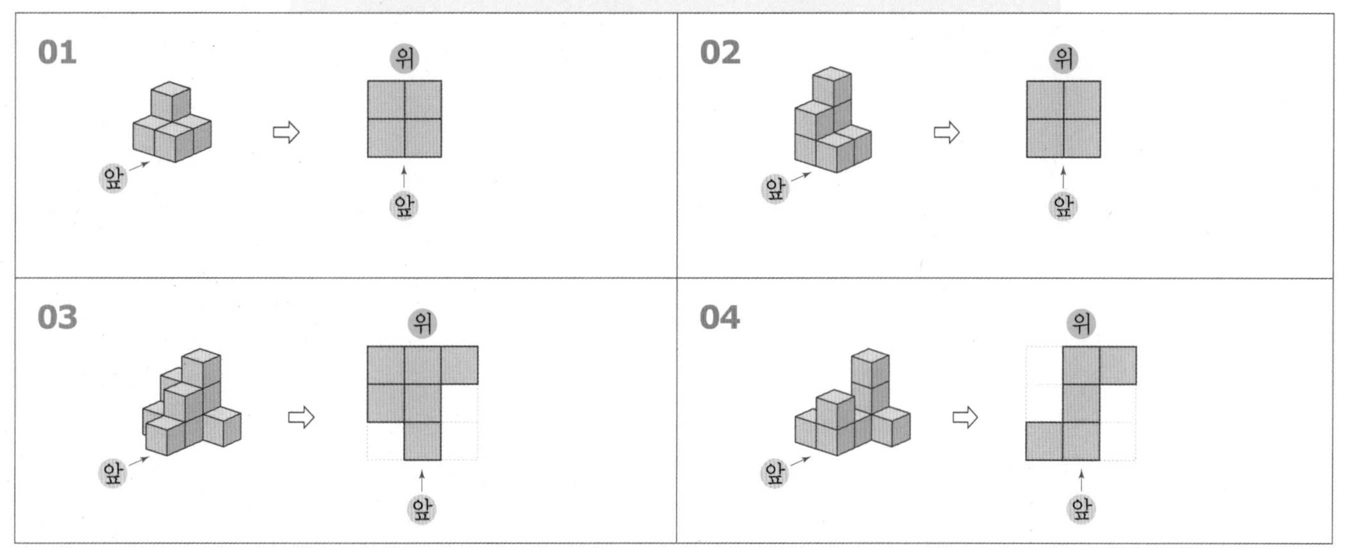

예제 2 쌓기나무로 쌓은 모양을 보고 위에서 본 모양에 수를 썼습니다.
앞과 옆에서 본 모양을 그리시오.

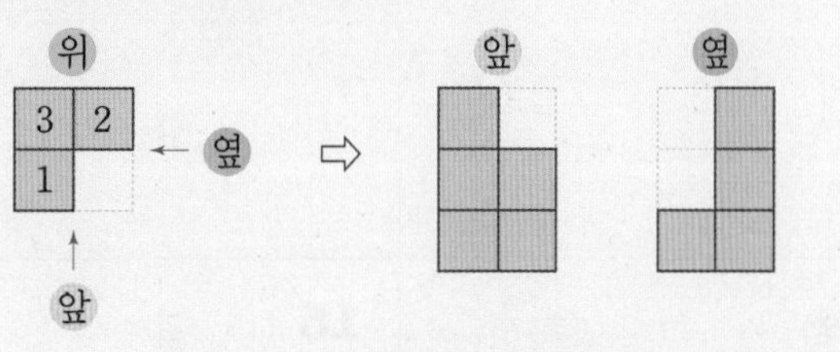

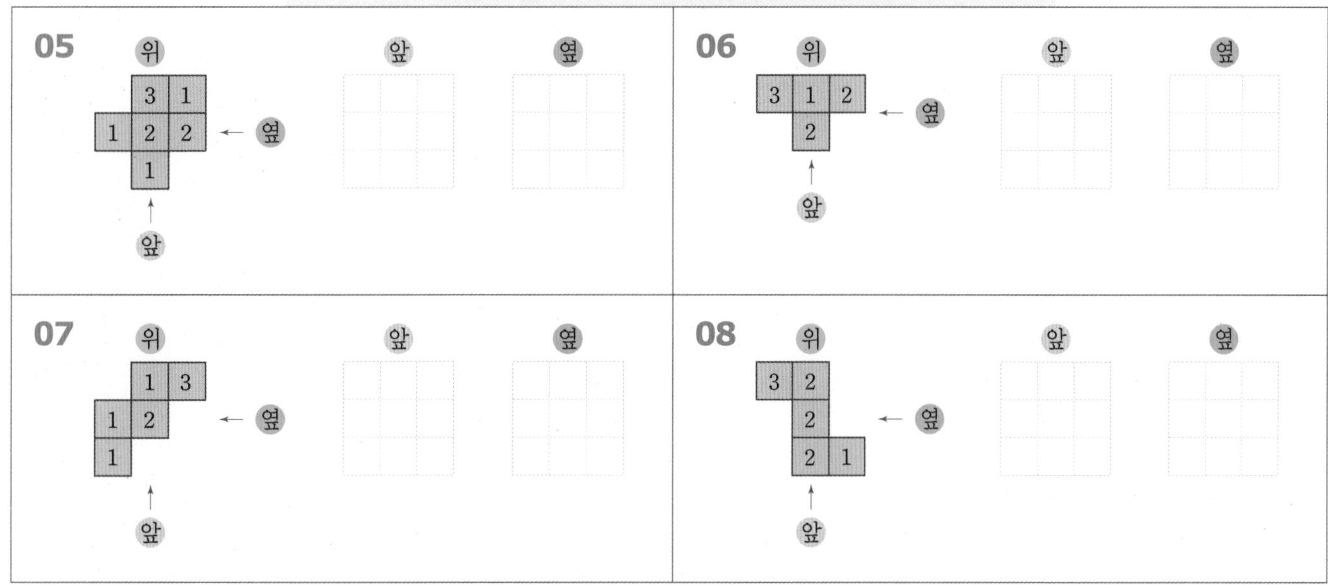

스스로 풀어보는 연산

[09-12] 쌓기나무로 쌓은 모양을 보고 위에서 본 모양에 수를 써넣으시오.

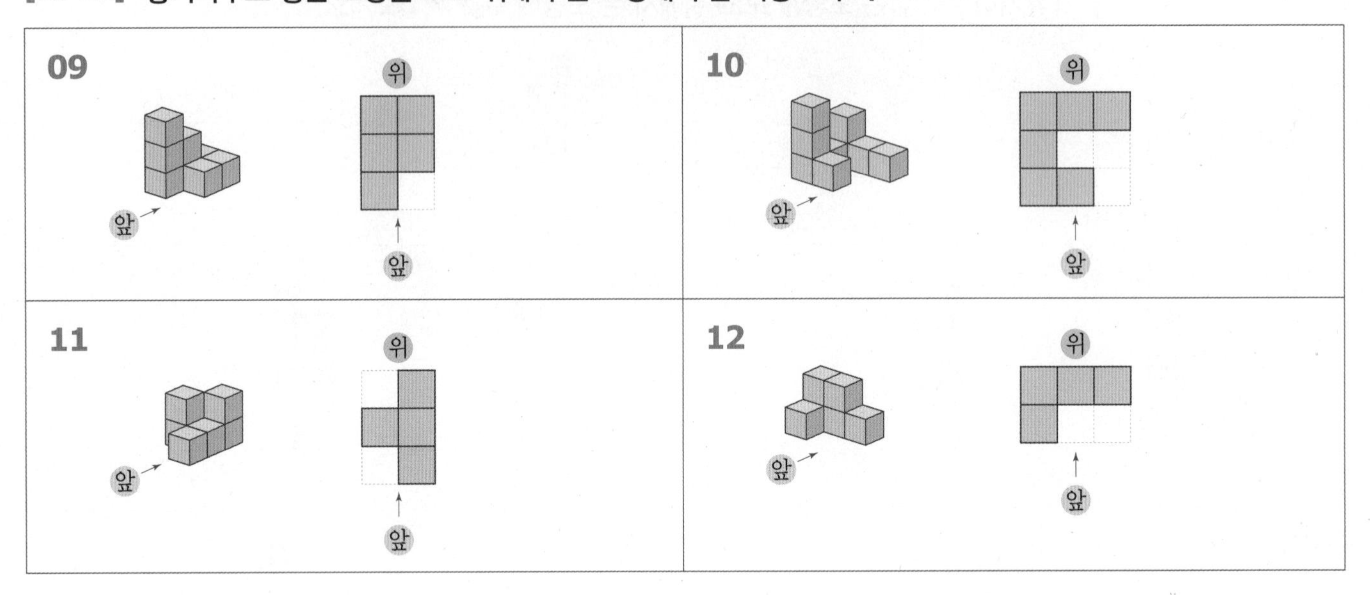

[13-18] 쌓기나무로 쌓은 모양을 보고 위에서 본 모양에 수를 썼습니다. 앞과 옆에서 본 모양을 그리시오.

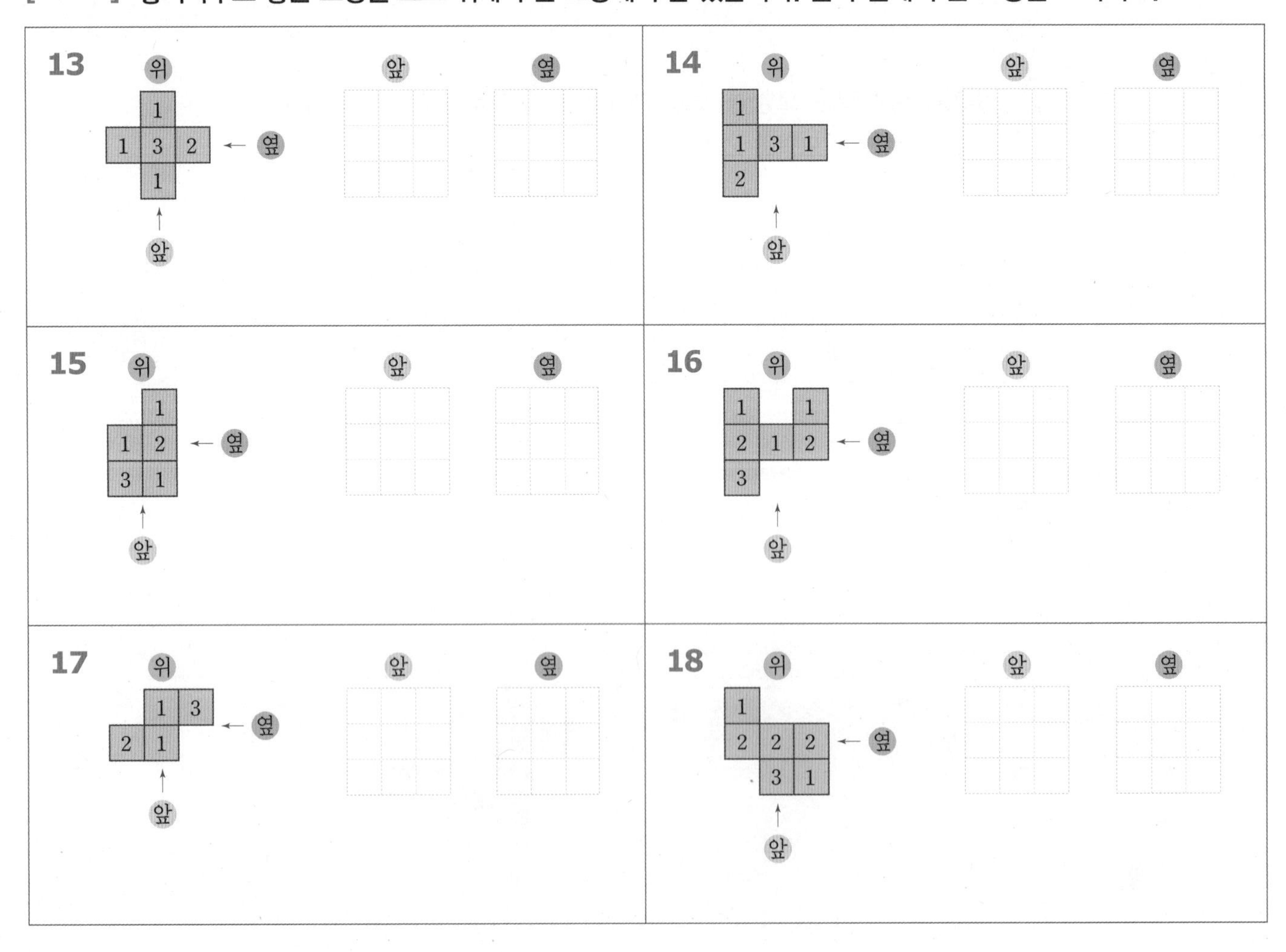

[19-20] 쌓기나무로 쌓은 모양을 보고 위에서 본 모양에 수를 썼습니다. 똑같은 모양으로 쌓는 데 필요한 쌓기나무의 개수를 구하시오.

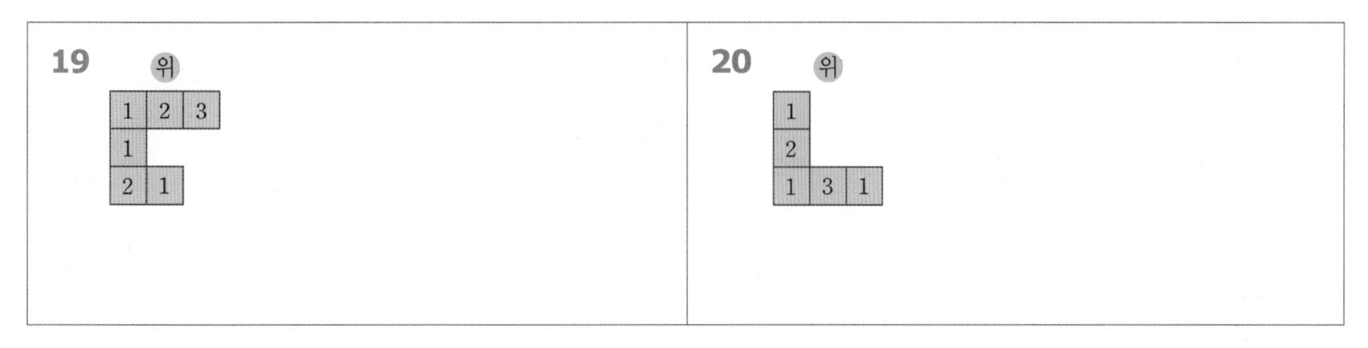

[21-22] 쌓기나무로 쌓은 모양을 보고 위에서 본 모양에 수를 써넣고, 똑같은 모양으로 쌓는 데 필요한 쌓기나무의 개수를 구하시오.

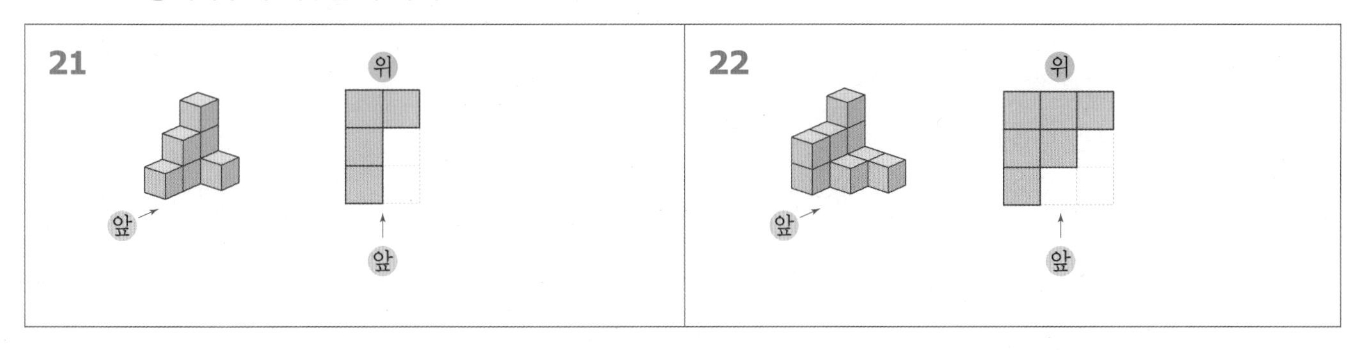

[23-24] 쌓기나무로 쌓은 모양을 위, 앞, 옆에서 본 모양입니다. ㉠에 쌓인 쌓기나무는 몇 개인지 구하시오.

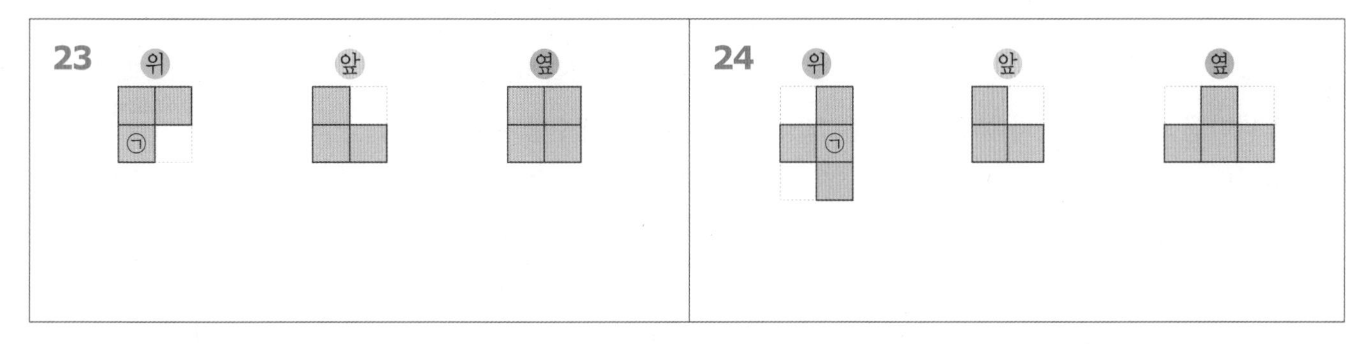

[25-26] 앞에서 본 모양과 옆에서 본 모양이 같은 것의 기호를 쓰시오.

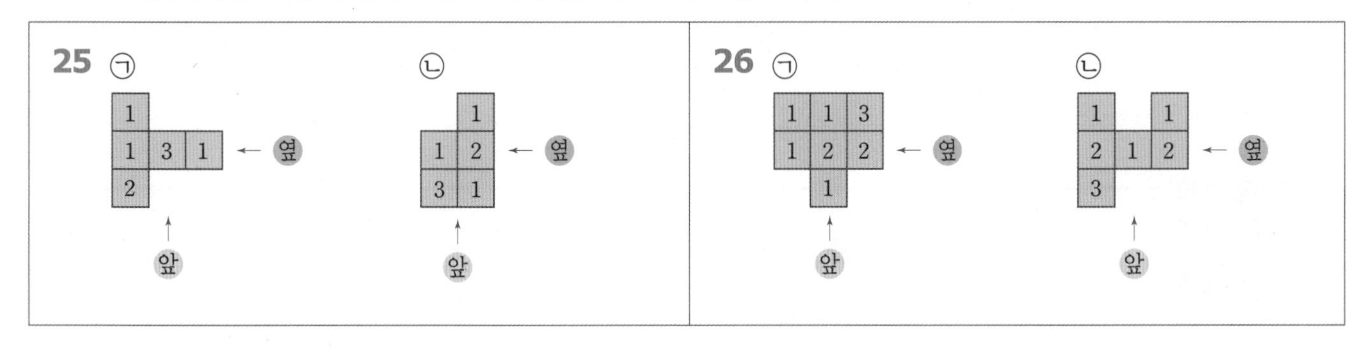

12 층별로 나타낸 모양

우리는 앞 단원에서 쌓기나무로 쌓은 모양을 정확하게 알 수 있는 방법을 알아보았습니다.

쌓기나무로 쌓은 모양을 위에서 본 모양의 각 자리에 쌓인 쌓기나무의 개수를 쓴 것을 보면 쌓은 모양과 쌓기나무의 개수를 정확하게 알 수 있었습니다.

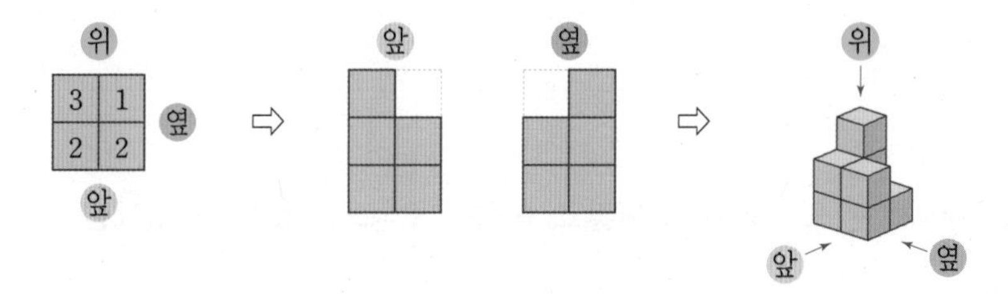

그렇다면 쌓은 모양과 쌓기나무의 개수를 알 수 있는 다른 방법을 알아볼까요?

쌓기나무로 쌓은 모양은 다음과 같이 각 층별로 모양을 그릴 수 있습니다.

이때 1층 모양은 쌓은 모양을 위에서 본 모양과 같습니다.

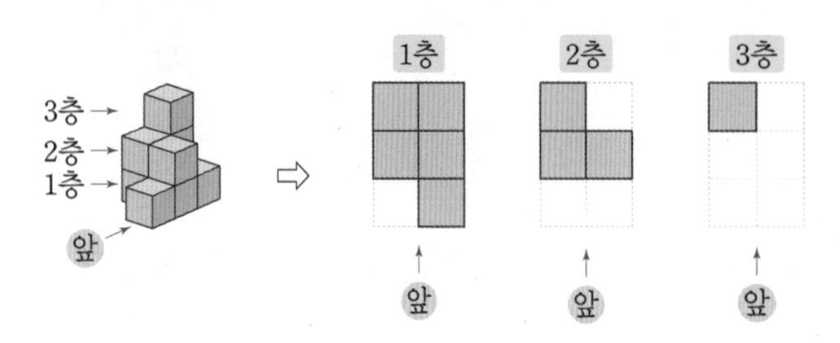

층별로 나타낸 모양대로 쌓기나무를 쌓으면 쌓은 모양이 하나로 만들어지기 때문에 층별로 나타낸 모양만으로 다음과 같이 쌓은 모양과 쌓기나무의 개수를 정확하게 알 수 있습니다.

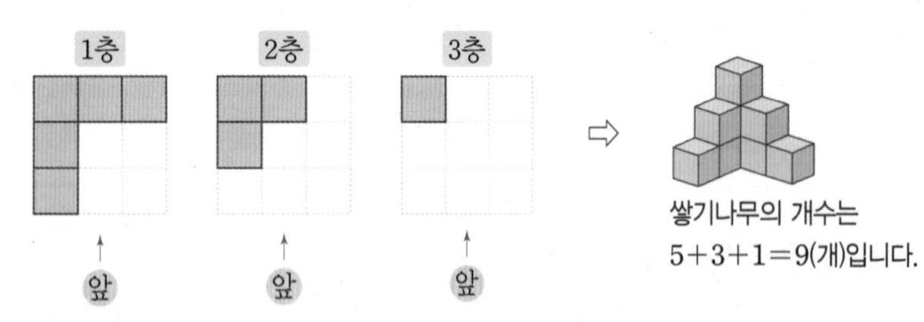

쌓기나무로 쌓은 모양을 층별로 나타내면 각 층의 모양과 개수를 알 수 있습니다.

풍산자 비법

쌓기나무로 쌓은 모양을 위에서 본 모양과 1층 모양은 서로 같다.

예제 따라 풀어보는 연산

예제 1 쌓기나무로 쌓은 모양과 1층 모양을 보고 2층과 3층 모양을 각각 그리시오.

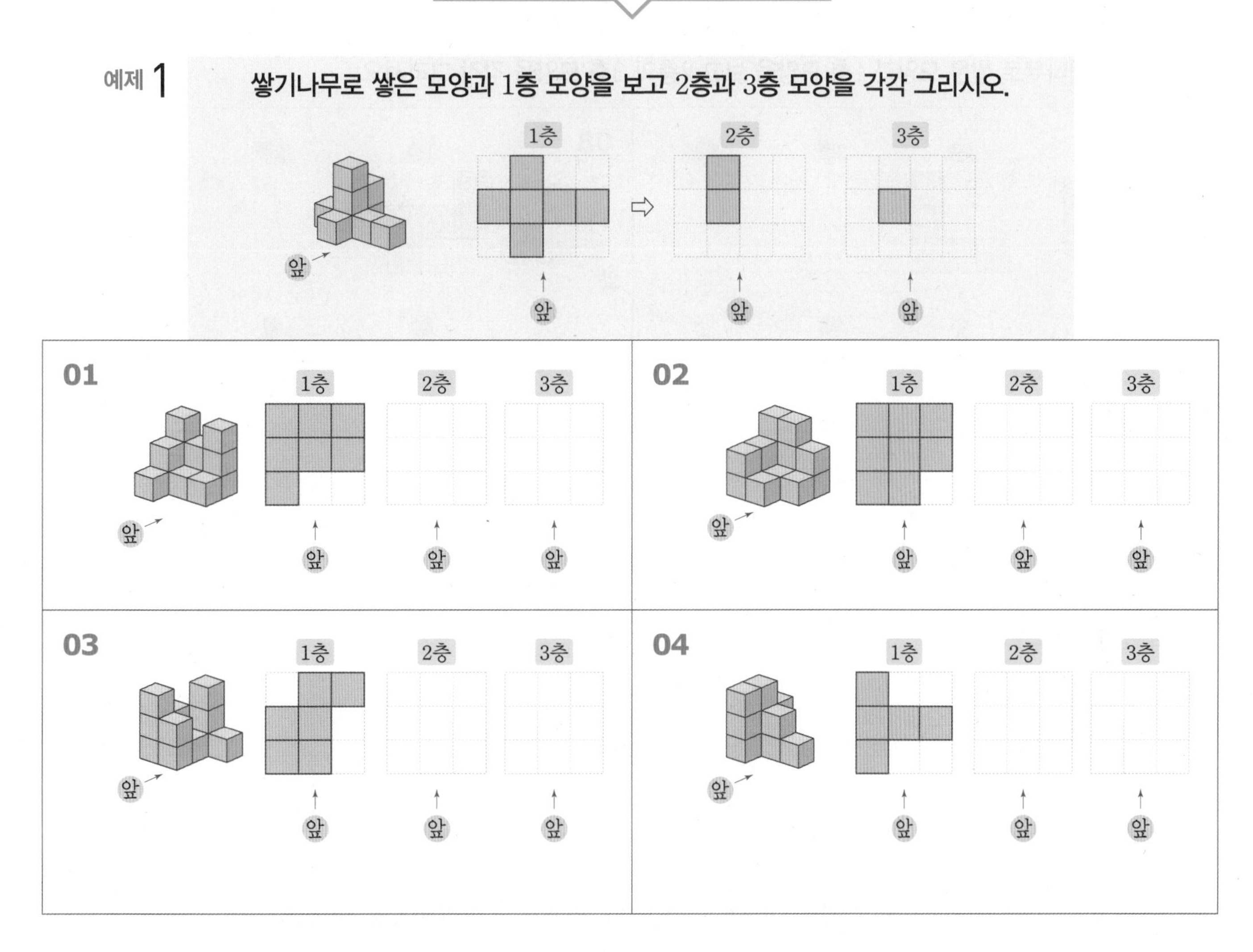

예제 2 쌓기나무로 쌓은 모양을 층별로 나타낸 모양입니다. 위에서 본 모양에 수를 써넣고, 똑같은 모양으로 쌓는 데 필요한 쌓기나무의 개수를 구하시오.

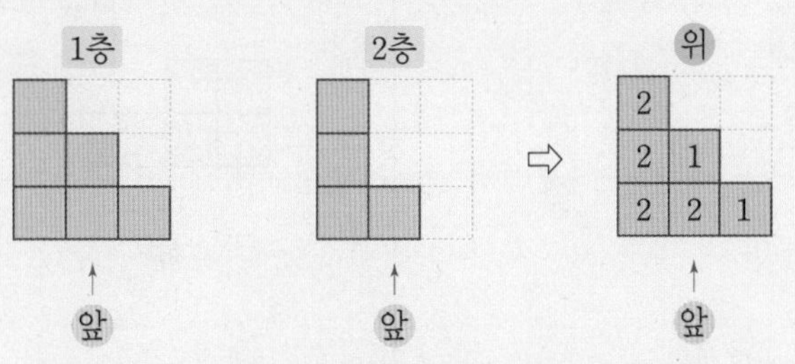

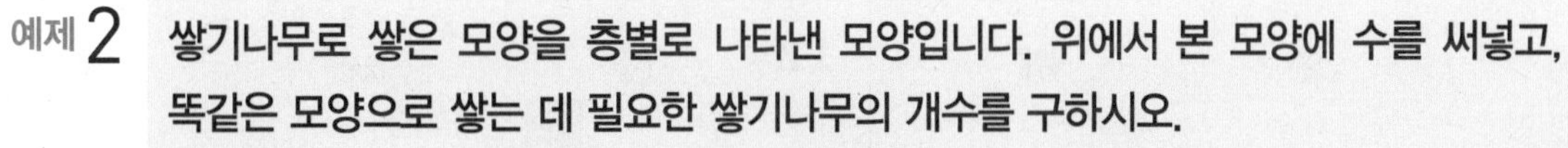
⇨ 1층에 6개, 2층에 4개로 모두 10개가 필요합니다.

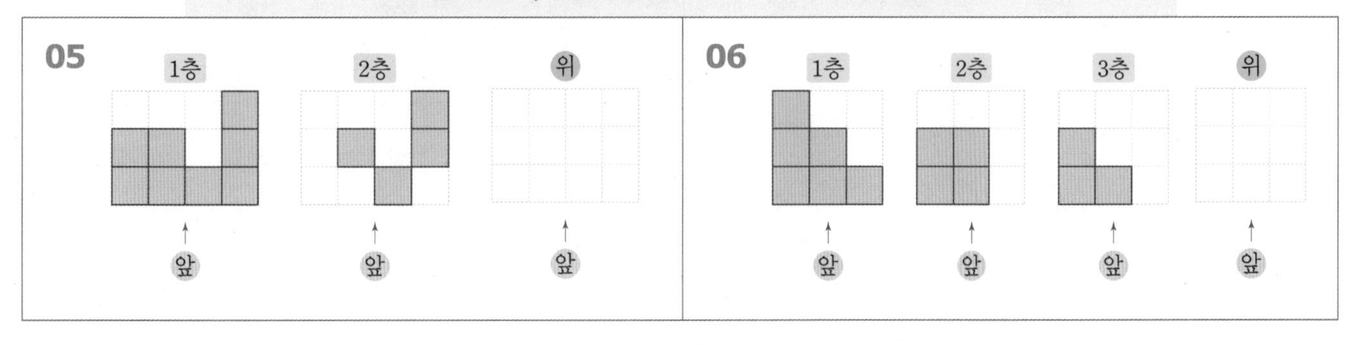

스스로 풀어보는 연산

[07-10] 쌓기나무로 쌓은 모양과 1층 모양을 보고 2층과 3층 모양을 각각 그리시오.

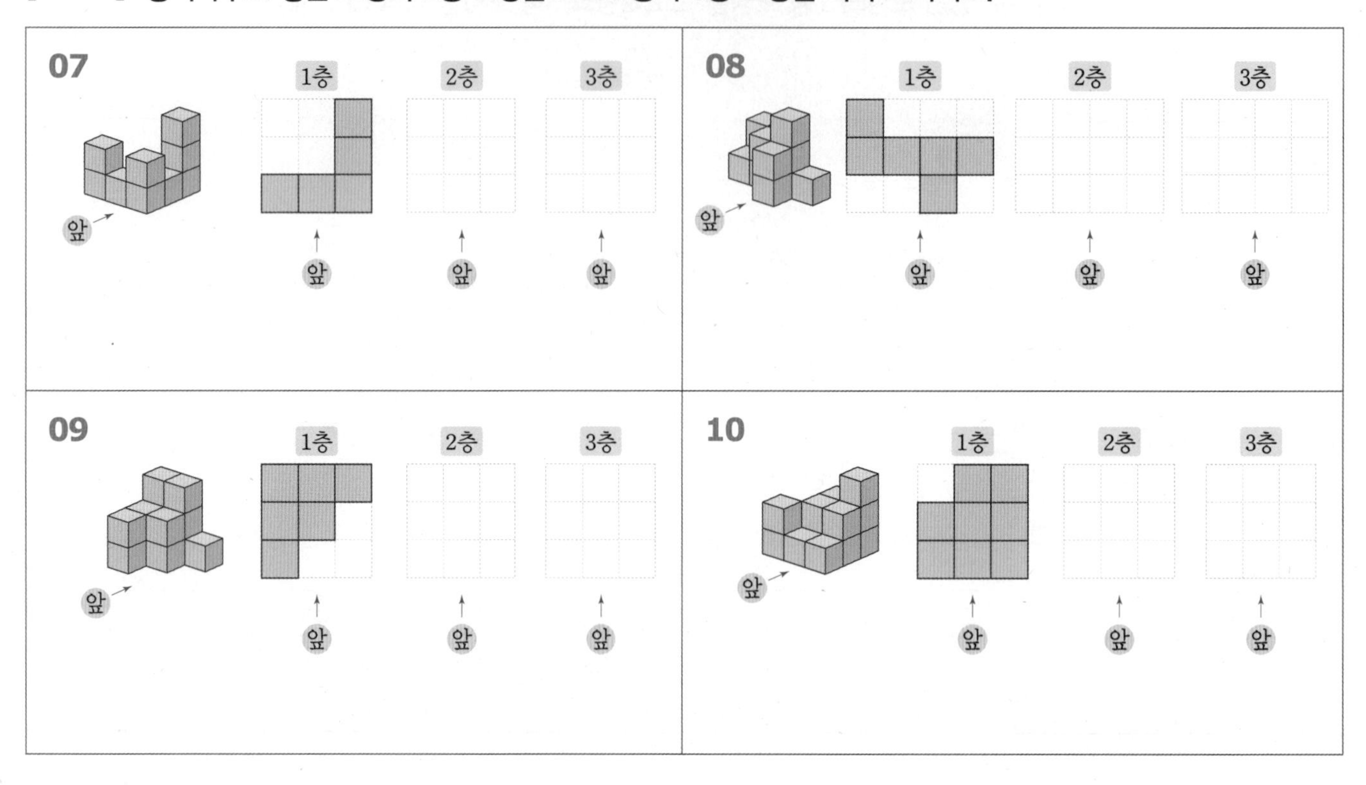

[11-14] 쌓기나무로 쌓은 모양을 층별로 나타낸 모양입니다. 위에서 본 모양에 수를 써넣고, 똑같은 모양으로 쌓는 데 필요한 쌓기나무의 개수를 구하시오.

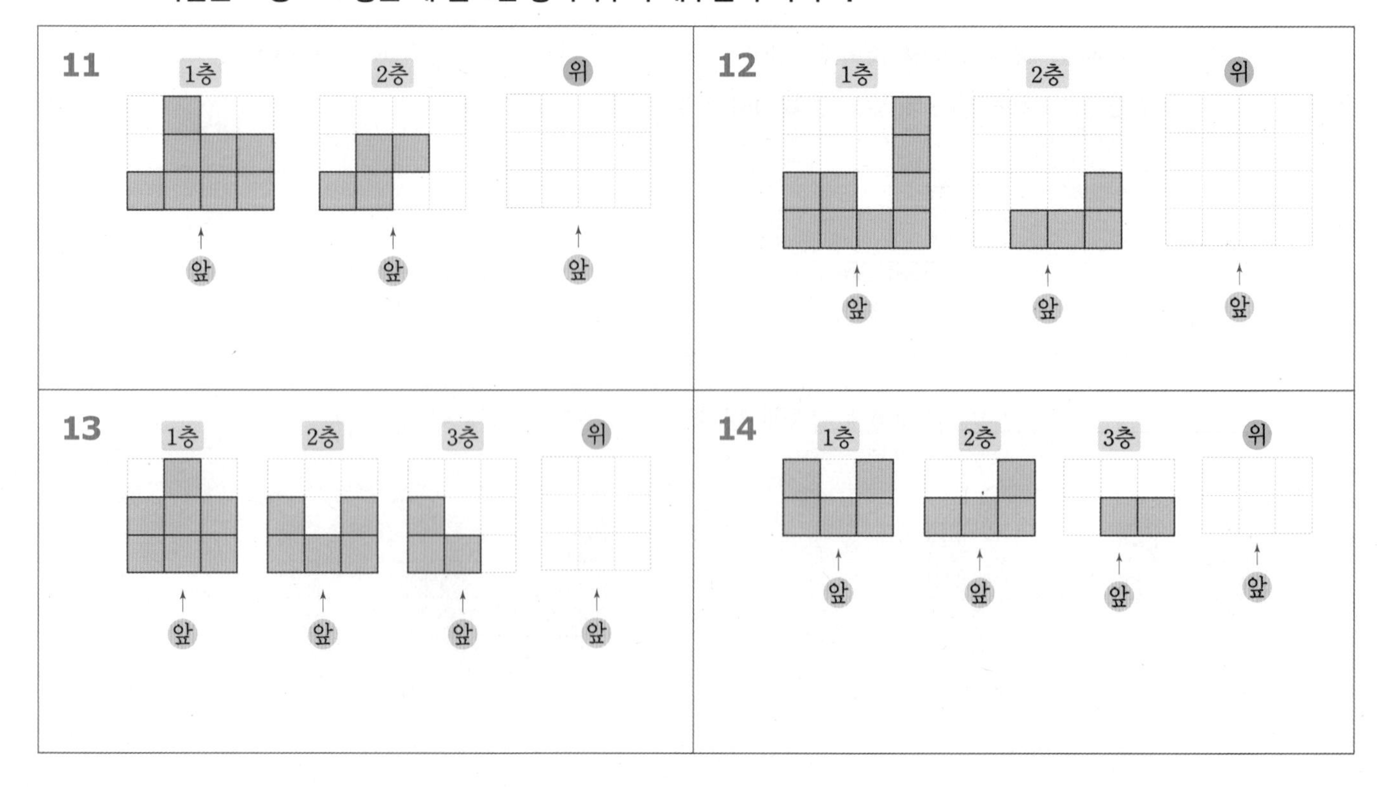

응용 연산

[15-18] 쌓기나무로 쌓은 모양을 보고 위에서 본 모양에 수를 썼습니다. 괄호 안에 알맞은 수를 써넣으시오.

15

위

3	1	2
	2	

앞

2층에 놓인 쌓기나무는 (　　　　)개입니다.

16

위

	1	3
2	1	

앞

1층에 놓인 쌓기나무는 (　　　　)개입니다.

17

위

3	1
2	
2	1

앞

1층: (　　　　)개
2층: (　　　　)개
3층: (　　　　)개
총: (　　　　)개

18

위

1	2	3
	1	
	3	2

앞

1층: (　　　　)개
2층: (　　　　)개
3층: (　　　　)개
총: (　　　　)개

[19-20] 쌓기나무로 쌓은 모양과 1층 모양을 보고 전체 쌓기나무의 개수를 비교하여 ○ 안에 >, =, < 중 알맞은 것을 써넣으시오.

19　**20**

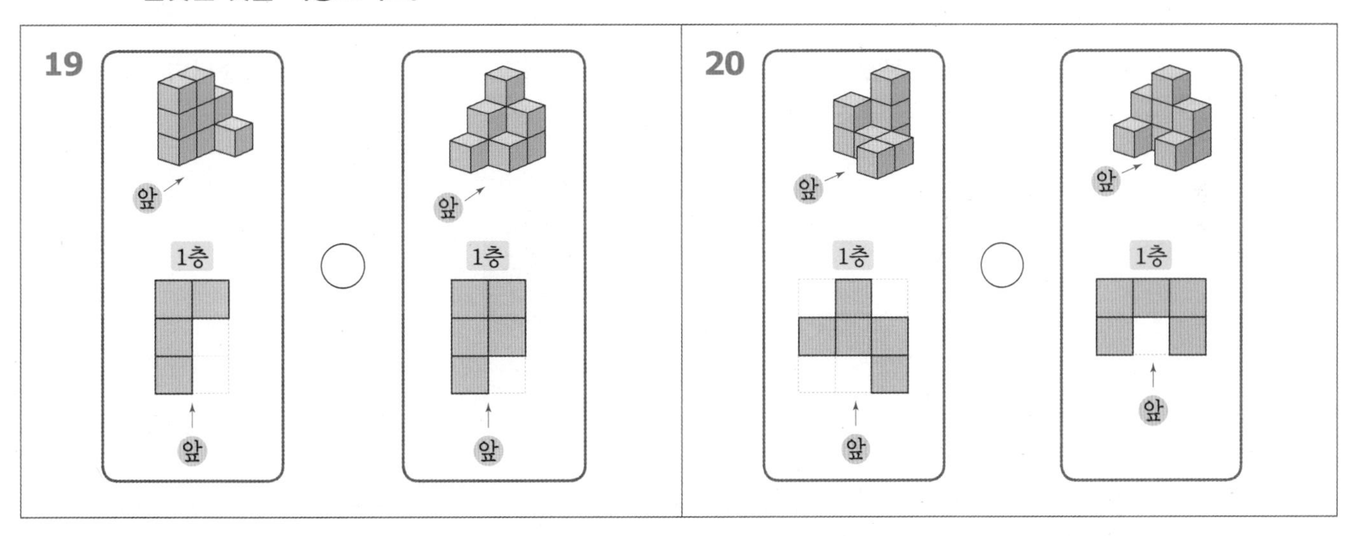

[21-22] 쌓기나무로 쌓은 모양을 보고 위에서 본 모양에 수를 썼습니다. 1층과 2층에 사용된 쌓기나무는 모두 몇 개인지 구하시오.

21　**22**

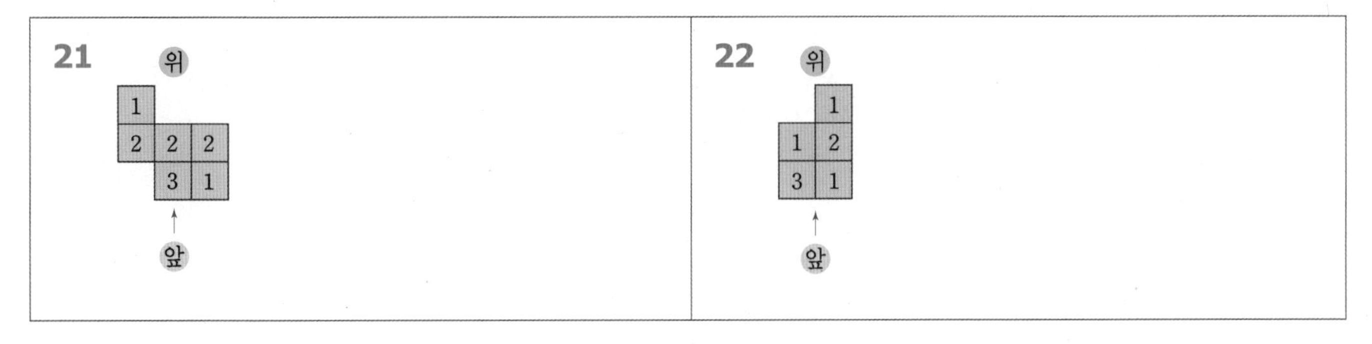

재미있게, 우리 연산하자!

지금까지 우리는 공간과 입체를 배웠습니다.
힘들었을 텐데, 잘 풀었어요!

자, 그럼 마지막으로 지금까지 배운 공간과 입체를 모두 이용해서 다음과 같은 소마큐브로 문제를 해결해 봅시다.

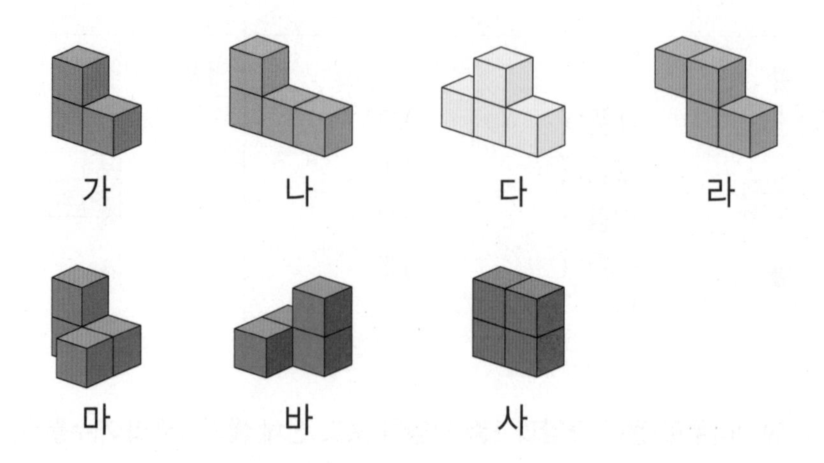

[1] 소마큐브 조각 2개를 사용하여 다음과 같은 모양을 만들었습니다. 사용한 나머지 한 조각의 기호를 쓰시오.

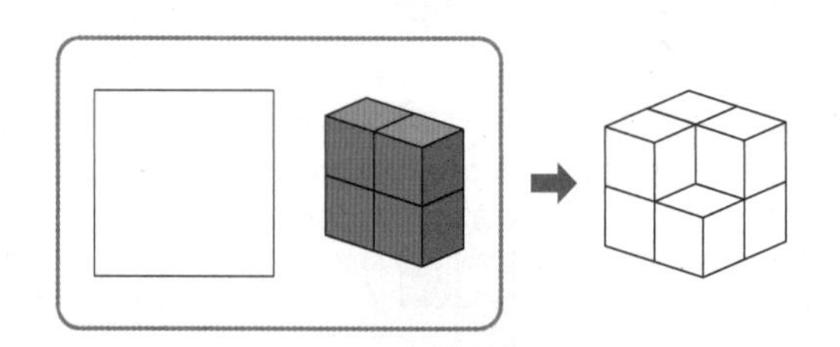

[2] 소마큐브 조각 2개를 사용하여 오른쪽 그림과 같은 모양을 만들어 보고, 사용한 조각의 기호를 쓰시오.

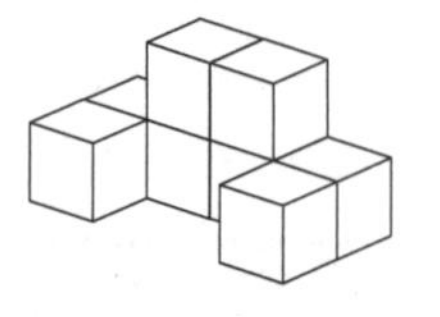

[3] 소마큐브 조각 2개를 사용하여 오른쪽 그림과 같은 모양을 만들어 보고, 사용한 조각의 기호를 쓰시오.

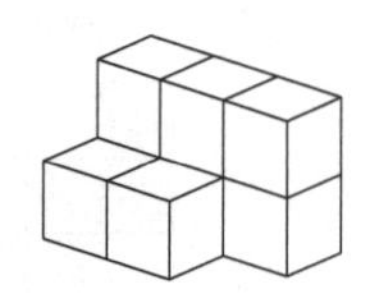

비례식과 비례배분

공부할 내용	공부한 날
13 비의 성질	월 일
14 비례식	월 일
15 비례식의 성질	월 일
16 비례배분	월 일

13 비의 성질

우리는 **[수학 6-1]**에서 비와 비율을 알아보았습니다.
두 수를 나눗셈으로 비교하기 위해 기호 :을 사용하여 나타낸 것을 비라고 하였고,
두 수 4와 10을 비교할 때 4 : 10이라 쓰고 4 대 10이라고 읽었습니다.
비 4 : 10에서 기호 :의 오른쪽에 있는 10은 기준량이고 왼쪽에 있는 4는 비교하는 양이며 기준량에 대한 비교하는 양의 크기를 비율이라고 하였습니다.

4 : 10과 10 : 4는 다릅니다.

$$(\text{비율})=(\text{비교하는 양})\div(\text{기준량})=\frac{(\text{비교하는 양})}{(\text{기준량})}$$

비 4 : 10을 비율로 나타내면 $\frac{4}{10}$ 또는 0.4입니다.

그렇다면 비의 성질을 알아볼까요?
비 4 : 10에서 기호 : 앞에 있는 4를 **전항**, 뒤에 있는 10을 **후항**이라고 합니다.
비의 전항과 후항에 0이 아닌 같은 수를 곱하여도 비율은 같고,
비의 전항과 후항을 0이 아닌 같은 수로 나누어도 비율은 같습니다.

비 4 : 10의 비율은 $\frac{4}{10}$, 즉 $\frac{2}{5}$입니다.
- 4 : 10의 전항과 후항에 2를 곱하면 8 : 20 ⇨ 비율은 $\frac{8}{20}$, 즉 $\frac{2}{5}$입니다.
- 4 : 10의 전항과 후항을 2로 나누면 2 : 5 ⇨ 비율은 $\frac{2}{5}$입니다.

$\frac{2}{5}=\frac{4}{10}=\frac{8}{20}$

비의 성질을 이용하면 소수나 분수로 나타낸 비를 간단한 자연수의 비로 나타낼 수 있습니다.

- 0.3 : 0.6 ⇨ 전항과 후항에 10을 곱하면 3 : 6
  3 : 6의 전항과 후항을 3으로 나누면 1 : 2
- $\frac{1}{2}$: $\frac{1}{3}$ ⇨ 전항과 후항에 6을 곱하면 3 : 2

비가 소수 한 자리 수로 나타난 것은 각 항에 10을 곱하고, 비가 분수로 나타난 것은 각 항에 두 분모의 최소공배수를 곱합니다.

풍산자 비법 비의 전항과 후항에 0이 아닌 같은 수를 곱하거나 나누어도 비율은 같다.

예제 따라 풀어보는 연산

예제 1 비율이 같은 비를 2개 쓰시오.

$2:6$ ⇨ 예 전항과 후항을 2로 나누면 $1:3$
전항과 후항에 2를 곱하면 $4:12$

01 $3:9$	**02** $5:4$
03 $6:12$	**04** $4:16$

예제 2 간단한 자연수의 비로 나타내시오.

$0.2:0.5$ ⇨ 예 전항과 후항에 10을 곱하면
$2:5$

05 $1.5:1.3$ ⇨	**06** $0.8:0.3$ ⇨
07 $0.17:0.11$ ⇨	**08** $0.05:0.72$ ⇨

예제 3 간단한 자연수의 비로 나타내시오.

$\frac{1}{3}:\frac{1}{4}$ ⇨ 예 전항과 후항에 12를 곱하면
$4:3$

09 $\frac{1}{13}:\frac{1}{3}$ ⇨	**10** $\frac{1}{6}:\frac{1}{5}$ ⇨
11 $\frac{1}{7}:\frac{1}{9}$ ⇨	**12** $\frac{1}{2}:\frac{1}{7}$ ⇨

스스로 풀어보는 연산

[13-18] 비율이 같은 비를 2개 쓰시오.

13 $72:9$	**14** $3:8$
15 $6:30$	**16** $13:39$
17 $25:30$	**18** $42:56$

[19-26] 간단한 자연수의 비로 나타내시오.

19 $0.6:1.3$ ⇨	**20** $0.5:1.7$ ⇨
21 $1.2:0.6$ ⇨	**22** $6.3:1.4$ ⇨
23 $\frac{1}{12}:\frac{1}{5}$ ⇨	**24** $\frac{1}{17}:\frac{1}{34}$ ⇨
25 $\frac{1}{7}:\frac{1}{4}$ ⇨	**26** $\frac{1}{3}:\frac{1}{9}$ ⇨

[27-28] 후항이 가장 큰 비의 비율을 분수로 나타내시오.

27 1 : 6 9 : 17 13 : 4 2 : 15

28 4 : 7 24 : 23 11 : 19 1 : 13

[29-30] 비의 성질을 이용하여 비율이 같은 비를 찾아 선으로 이어보시오.

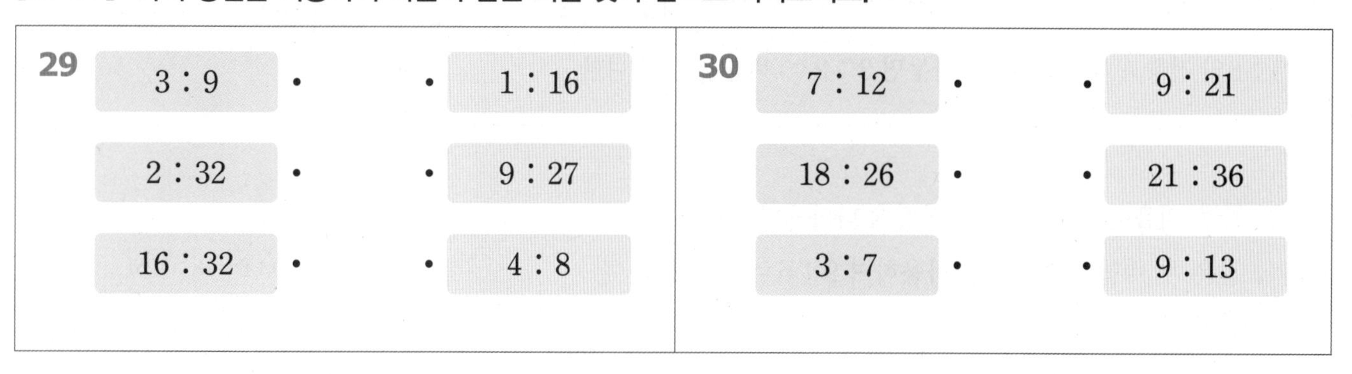

[31-32] 가로와 세로의 비가 주어진 비와 같은 직사각형을 고르시오.

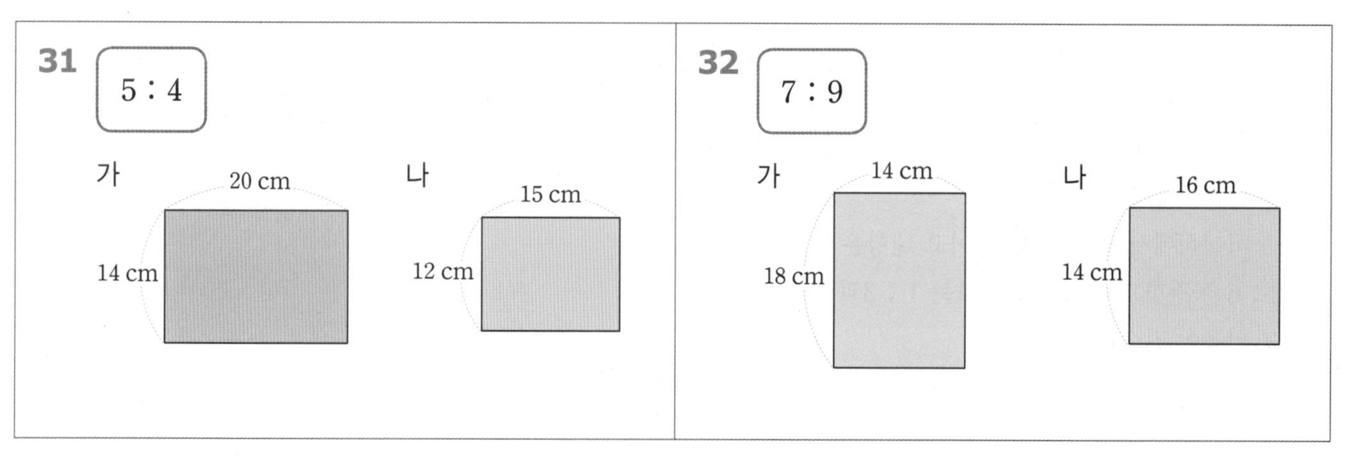

[33-34] 가장 간단한 자연수의 비로 나타내고 전항과 후항의 합을 구하시오.

33 $\frac{5}{6} : \frac{2}{5}$

34 $1.2 : \frac{3}{4}$

14 비례식

우리는 앞 단원에서 비의 성질을 알아보았습니다.
비의 전항과 후항에 0이 아닌 같은 수를 곱하여도 비율은 같고,
비의 전항과 후항을 0이 아닌 같은 수로 나누어도 비율은 같았습니다.

> 비 9 : 6의 비율은 $\frac{9}{6}$, 즉 $\frac{3}{2}$입니다.
> • 9 : 6의 전항과 후항에 2를 곱하면 18 : 12 ⇨ 비율은 $\frac{18}{12}$, 즉 $\frac{3}{2}$입니다.
> • 9 : 6의 전항과 후항을 3으로 나누면 3 : 2 ⇨ 비율은 $\frac{3}{2}$입니다.

그렇다면 비율이 같은 두 비를 어떻게 나타낼까요?
비율이 같은 두 비를 기호 '='를 사용하여 9 : 6=18 : 12와 같이 나타낼 수 있습니다.

외항
9 : 6=18 : 12
내항

이와 같은 식을 **비례식**이라고 합니다.
비례식 9 : 6=18 : 12에서 바깥쪽에 있는 9와 12를 **외항**, 안쪽에 있는 6과 18을 **내항**이라고 합니다.
비례식을 이용하여 비의 성질을 다음과 같이 나타낼 수 있습니다.

> • 3 : 5는 전항과 후항에 2를 곱한 6 : 10과 그 비율이 같습니다.
> ⇨ 비례식에서 외항은 3, 10이고 내항은 5, 6입니다.
> ×2
> 3 : 5 = 6 : 10
> ×2
> • 2 : 6은 전항과 후항을 2로 나눈 1 : 3과 그 비율이 같습니다.
> ⇨ 비례식에서 외항은 2, 3이고 내항은 6, 1입니다.
> ÷2
> 2 : 6 = 1 : 3
> ÷2

9 : 6=18 : 12와 18 : 12=9 : 6은 비율이 같은 두 비로 나타낸 같은 비례식이지만 각 비례식에서 외항과 내항은 서로 다릅니다.

풍산자 비법
비례식 ⇨ 비율이 같은 두 비를 기호 '='를 사용하여 나타낸 식

예제 따라 풀어보는 연산

예제 1

$3:2=12:8$
외항 ⇨ 3, 8
내항 ⇨ 2, 12

01 $4:6=12:18$ 외항 ⇨ 내항 ⇨	**02** $3:5=9:15$ 외항 ⇨ 내항 ⇨
03 $9:11=27:33$ 외항 ⇨ 내항 ⇨	**04** $2:10=16:80$ 외항 ⇨ 내항 ⇨
05 $2:13=14:91$ 외항 ⇨ 내항 ⇨	**06** $6:8=3:4$ 외항 ⇨ 내항 ⇨

예제 2

비율이 같은 두 비를 찾아 비례식으로 나타내시오.

$2:4$ $1:2$ $2:1$ $3:12$

⇨ 각 비를 비율로 나타내면 $\frac{2}{4}\left(=\frac{1}{2}\right)$, $\frac{1}{2}$, 2, $\frac{3}{12}\left(=\frac{1}{4}\right)$이므로 비율이 같은 두 비를 비례식으로 나타내면 $2:4=1:2$입니다.

07 $4:5$ $7:3$ $6:9$ $8:10$ ⇨	**08** $5:15$ $4:8$ $8:6$ $1:3$ ⇨
09 $12:24$ $1:6$ $6:36$ $2:3$ ⇨	**10** $20:5$ $4:1$ $12:4$ $6:1$ ⇨
11 $9:3$ $72:63$ $13:26$ $8:7$ ⇨	**12** $6:1$ $27:3$ $45:9$ $30:6$ ⇨

스스로 풀어보는 연산

[13-18] 비례식에서 외항과 내항을 찾아 쓰시오.

13 3 : 4=9 : 12 외항 ⇨ 내항 ⇨	**14** 4 : 6=2 : 3 외항 ⇨ 내항 ⇨
15 81 : 9=9 : 1 외항 ⇨ 내항 ⇨	**16** 55 : 11=5 : 1 외항 ⇨ 내항 ⇨
17 7 : 15=21 : 45 외항 ⇨ 내항 ⇨	**18** 40 : 25=16 : 10 외항 ⇨ 내항 ⇨

[19-26] 비율이 같은 두 비를 찾아 비례식으로 나타내시오.

19 4 : 9 　 3 : 12 　 4 : 6 　 6 : 9 ⇨	**20** 20 : 45 　 36 : 81 　 12 : 36 　 16 : 45 ⇨
21 7 : 9 　 28 : 36 　 3 : 9 　 63 : 42 ⇨	**22** 4 : 3 　 12 : 16 　 16 : 12 　 24 : 9 ⇨
23 18 : 20 　 15 : 18 　 6 : 8 　 9 : 10 ⇨	**24** 26 : 16 　 16 : 20 　 10 : 14 　 25 : 35 ⇨
25 14 : 16 　 $\frac{1}{5}:\frac{1}{7}$ 　 10 : 25 　 21 : 24 ⇨	**26** 33 : 45 　 0.4 : 0.7 　 10 : 18 　 44 : 60 ⇨

응용 연산

[27-28] □ 안에 알맞은 수를 써넣으시오.

27

비례식 15 : 20=45 : □에서 15 : 20은 전항과 후항에 3을 곱한 45 : □과 그 비율이 같습니다.

28

비례식 25 : 8=□ : 40에서 25 : 8은 전항과 후항에 5를 곱한 □ : 40과 그 비율이 같습니다.

[29-30] 비례식을 보고 □ 안에 알맞은 수의 곱을 쓰시오.

29

3 : 9=6 : 18

외항: (□, 18)
내항: (9, □)
곱 ⇨

30

14 : 24=7 : 12

외항: (□, 12)
내항: (24, □)
곱 ⇨

[31-32] □ 안에 알맞은 수가 큰 것부터 차례대로 기호를 쓰시오.

31

㉠ 6 : 5=12 : □
㉡ 3 : 8=□ : 24
㉢ 4 : □=8 : 14

32

㉠ 9 : □=45 : 40
㉡ □ : 15=4 : 3
㉢ 30 : 24=□ : 4

[33-34] 비례식으로 나타낼 수 있는 것끼리 이어 보시오.

33

7 : 3 •	• 5 : 2
20 : 8 •	• 21 : 9
$\frac{5}{3} : \frac{4}{3}$ •	• 5 : 4

34

1 : 2 •	• 100 : 180
5 : 9 •	• 3 : 5
$\frac{3}{10} : \frac{5}{10}$ •	• 12 : 24

15 비례식의 성질

우리는 앞 단원에서 비례식을 알아보았습니다.

비율이 같은 두 비를 기호 '='를 사용하여 2 : 5=4 : 10과 같이 나타낼 수 있고, 이와 같은 식을 비례식이라고 하였습니다. 비례식 2 : 5=4 : 10에서 바깥쪽에 있는 2와 10을 외항, 안쪽에 있는 5와 4를 내항이라고 합니다.

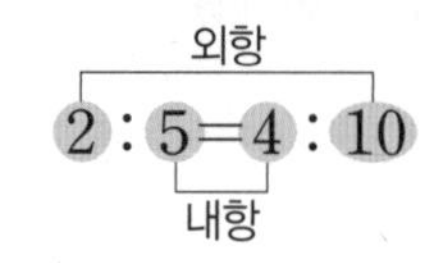

그렇다면 비례식의 성질을 알아볼까요?

비례식에서 외항의 곱과 내항의 곱은 같습니다.

- 외항의 곱은 7×9=63입니다.
- 내항의 곱은 3×21=63입니다.
- (외항의 곱)=(내항의 곱)이므로 비례식입니다.

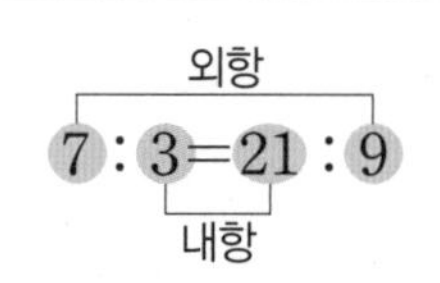

비례식의 성질을 이용하면 주어진 식이 비례식인지 비례식이 아닌지 쉽게 알 수 있습니다.

비례식의 성질을 활용하여 다음과 같이 다양한 문제를 해결할 수 있습니다.

- 4 : 5=16 : □에서 □ 안에 알맞은 수를 구해 봅시다.
  외항의 곱은 4×□, 내항의 곱은 5×16이고 외항의 곱과 내항의 곱은 같으므로
  4×□=5×16, 4×□=80, □=20
- 자동차가 일정한 빠르기로 8 km를 달리는 데 5분이 걸렸습니다.
  같은 빠르기로 72 km를 달린다면 몇 분이 걸립니까?
  ⇨ 자동차가 72 km를 달리는 데 걸리는 시간을 □분이라 하고
  비례식을 세우면 8 : 5=72 : □입니다.
  비례식의 성질을 이용하여 □의 값을 구하면
  8×□=5×72, 8×□=360, □=45
  따라서 자동차가 같은 빠르기로 72 km를 달린다면 45분이 걸립니다.

풍산자 비법

비례식에서 외항의 곱과 내항의 곱은 같다.

예제 따라 풀어보는 연산

예제 1 비례식이 옳은 것을 모두 찾으시오.

60 : 8=15 : 2	21 : 15=8 : 5
24 : 40=3 : 5	12 : 10=20 : 15

⇨ 외항의 곱과 내항의 곱이 같은 것은 60 : 8=15 : 2, 24 : 40=3 : 5입니다.

01

10 : 22=3 : 7	15 : 3=5 : 1
6 : 9=4 : 6	30 : 15=6 : 4

02

1 : 4=20 : 75	9 : 5=27 : 15
16 : 20=5 : 4	14 : 8=7 : 4

03

72 : 12=6 : 2	8 : 10=4 : 5
50 : 19=5 : 2	28 : 7=4 : 1

04

24 : 16=3 : 2	14 : 32=2 : 4
9 : 15=4 : 10	40 : 20=2 : 1

05

6 : 20=3 : 10	10 : 8=5 : 4
21 : 7=3 : 2	0.6 : 0.5=18 : 12

06

3.3 : 5.5=3 : 5	2 : 7=30 : 105
14 : 17=4 : 5	210 : 150=6 : 5

예제 2 □ : 4=28 : 16

⇨ 외항의 곱과 내항의 곱이 같으므로
□×16=4×28, □×16=112, □=7

07 3 : 2=□ : 4

08 9 : 8=81 : □

09 55 : 2=165 : □

10 38 : □=190 : 15

11 48 : 16=3 : □

12 72 : 9=□ : 1

스스로 풀어보는 연산

[13-18] 외항의 곱과 내항의 곱을 구하고 비례식이 옳다면 ○표, 옳지 않다면 ×표 하시오.

13 7 : 2=21 : 6 외항의 곱: 내항의 곱: (　　　)	**14** 13 : 30=26 : 50 외항의 곱: 내항의 곱: (　　　)
15 15 : 45=2 : 3 외항의 곱: 내항의 곱: (　　　)	**16** 81 : 72=9 : 8 외항의 곱: 내항의 곱: (　　　)
17 25 : 35=5 : 9 외항의 곱: 내항의 곱: (　　　)	**18** 60 : 12=5 : 3 외항의 곱: 내항의 곱: (　　　)

[19-26] 비례식의 성질을 이용하여 □ 안에 알맞은 수를 써넣으시오.

19 □ : 3=24 : 36	**20** 4 : 9=□ : 63
21 5 : 65=□ : 13	**22** 12 : 40=3 : □
23 52 : 12=26 : □	**24** 56 : 49=□ : 7
25 63 : 21=□ : 1	**26** 45 : 180=5 : □

응용 연산

[27-28] 비례식을 보고 ★과 ●의 곱을 구하시오.

27 ★ : 4=17 : ●	**28** ● : 5=7 : ★

[29-30] □ 안에 알맞은 수가 큰 것부터 차례대로 기호를 쓰시오.

29 ㉠ 1 : 2=9 : □ ㉡ 3 : □=0.3 : 1.1 ㉢ $\frac{1}{2}$: $\frac{1}{3}$=□ : 6 ㉣ 5 : 6=□ : 18	**30** ㉠ 81 : 9=0.9 : □ ㉡ 9 : □=27 : 6 ㉢ $\frac{1}{5}$: $\frac{1}{6}$=□ : 5 ㉣ 16 : 40=0.2 : □

31 1000 mL 우유 1통은 2700원입니다. 우유 5통은 얼마인지 구하시오.	**32** 사과가 3개에 2100원입니다. 사과 21개는 얼마인지 구하시오.
33 책상의 가로와 세로의 비가 7 : 12입니다. 가로가 77 cm일 때, 세로는 몇 cm인지 구하시오.	**34** 액자의 가로와 세로의 비가 11 : 5입니다. 세로가 120 cm일 때, 가로는 몇 cm인지 구하시오.

16 비례배분

우리는 **[수학 3-2]** 분수에서 부분이 전체의 얼마인지를 분수로 나타내는 방법을 알아보았습니다.

부분이 전체의 얼마인지 분수로 나타낼 때에는 전체는 분모에, 부분은 분자에 표현하였고, 전체에 대한 분수만큼은 전체의 수를 분수의 분모만큼 나눈 다음 분자를 곱하여 다음과 같이 구할 수 있었습니다.

- 12의 $\frac{1}{4}$은 12를 4부분으로 나눈 것 중의 1이므로 3입니다.
- 12의 $\frac{2}{4}$는 12를 4부분으로 나눈 것 중의 2이므로 6입니다. ($\frac{2}{4}$는 $\frac{1}{4}$의 2배이므로 $3\times2=6$)
- 12의 $\frac{3}{4}$은 12를 4부분으로 나눈 것 중의 3이므로 9입니다. ($\frac{3}{4}$은 $\frac{1}{4}$의 3배이므로 $3\times3=9$)

그렇다면 전체에 대한 비만큼은 어떻게 구할까요?

영미와 민주가 사탕 20개를 2 : 3의 비로 나누어 가지려고 할 때, 사탕을 어떻게 나누어 가져야 하는지 알아봅시다.

영미와 민주가 2 : 3의 비로 나누어 가진다고 하면 영미는 전체 $2+3$, 즉 5 중에서 2만큼을 가지고 민주는 전체 5 중에서 3만큼을 가지게 됩니다.

따라서 사탕 20개 중에서 영미는 $\frac{2}{5}$를 가지므로 $20\times\frac{2}{5}=8$(개), 민주는 $\frac{3}{5}$을 가지므로 $20\times\frac{3}{5}=12$(개)를 가집니다.

이와 같이 전체를 주어진 비로 배분하는 것을 **비례배분**이라고 합니다.

비례배분을 할 때에는 주어진 비의 전항과 후항의 합을 분모로 하는 분수의 비로 고쳐서 계산하면 편리합니다.

[700을 4 : 3으로 비례배분하기]

$700\times\frac{4}{4+3}=700\times\frac{4}{7}=400$, $700\times\frac{3}{4+3}=700\times\frac{3}{7}=300$

따라서 700을 4 : 3으로 비례배분하면 400과 300입니다.

비례배분을 할 때에는 전체를 몇으로 나누어야 하는지 생각합니다.

풍산자 비법

비례배분 ⇨ 전체를 주어진 비로 배분하는 것

예제 따라 풀어보는 연산

예제 1

30을 1 : 5로 비례배분하시오.

⇨ $30\times\frac{1}{1+5}=30\times\frac{1}{6}=5$

$30\times\frac{5}{1+5}=30\times\frac{5}{6}=25$ (5, 25)

01 24를 1 : 2로 비례배분 (,)	**02** 36을 7 : 2로 비례배분 (,)
03 28을 2 : 5로 비례배분 (,)	**04** 16을 1 : 3으로 비례배분 (,)
05 27을 2 : 1로 비례배분 (,)	**06** 18을 2 : 7로 비례배분 (,)

예제 2

용돈 6000원을 지민이와 서진이가 3 : 7로 나누어 가지려고 할 때, 두 사람이 각각 갖게 되는 용돈을 구하시오.

⇨ 지민: $6000\times\frac{3}{3+7}=6000\times\frac{3}{10}=1800$(원)

서진: $6000\times\frac{7}{3+7}=6000\times\frac{7}{10}=4200$(원)

07 리본 40 m를 예진이와 지호가 3 : 5로 나누어 가지려고 할 때, 두 사람이 각각 갖게 되는 리본의 길이를 구하시오.	**08** 초콜릿 72개를 미애와 영수가 6 : 2로 나누어 가지려고 할 때, 두 사람이 각각 갖게 되는 초콜릿의 개수를 구하시오.
09 용돈 8000원을 민지와 진영이가 4 : 6으로 나누어 가지려고 할 때, 두 사람이 각각 갖게 되는 용돈을 구하시오.	**10** 우유 600 mL를 소희와 선영이가 7 : 5로 나누어 마시려고 할 때, 두 사람이 각각 마시게 되는 우유의 양을 구하시오.

스스로 풀어보는 연산

[11-24] 비례배분하시오.

11 300을 5 : 1로 비례배분 (　　,　　)	**12** 84를 1 : 3으로 비례배분 (　　,　　)
13 108을 2 : 1로 비례배분 (　　,　　)	**14** 56을 4 : 3으로 비례배분 (　　,　　)
15 60을 3 : 1로 비례배분 (　　,　　)	**16** 51을 16 : 1로 비례배분 (　　,　　)
17 35를 2 : 5로 비례배분 (　　,　　)	**18** 90을 1 : 14로 비례배분 (　　,　　)
19 사탕 45개를 영진이와 상우가 5 : 4로 나누어 가지려고 할 때, 두 사람이 각각 갖게 되는 사탕의 개수를 구하시오.	**20** 동전 30개를 지은이와 수지가 2 : 3으로 나누어 가지려고 할 때, 두 사람이 각각 갖게 되는 동전의 개수를 구하시오.
21 주스 250 mL를 수현이와 우빈이가 6 : 4로 나누어 마시려고 할 때, 두 사람이 각각 마시게 되는 주스의 양을 구하시오.	**22** 젤리 100개를 형진이와 수혜가 3 : 7로 나누어 가지려고 할 때, 두 사람이 각각 갖게 되는 젤리의 개수를 구하시오.
23 딱지 120장을 류진이와 석화가 4 : 8로 나누어 가지려고 할 때, 두 사람이 각각 갖게 되는 딱지의 개수를 구하시오.	**24** 구슬 320개를 상원이와 혁진이가 5 : 3으로 나누어 가지려고 할 때, 두 사람이 각각 갖게 되는 구슬의 개수를 구하시오.

응용 연산

[25-28] ★과 ●의 곱을 구하시오.

25 34 16 : 1로 비례배분 ⇨ (★ , ●)	**26** 69 2 : 21로 비례배분 ⇨ (★ , ●)
27 96 2 : 1로 비례배분 ⇨ (★ , ●)	**28** 116 20 : 9로 비례배분 ⇨ (★ , ●)

[29-30] 관계있는 것끼리 이어 보시오.

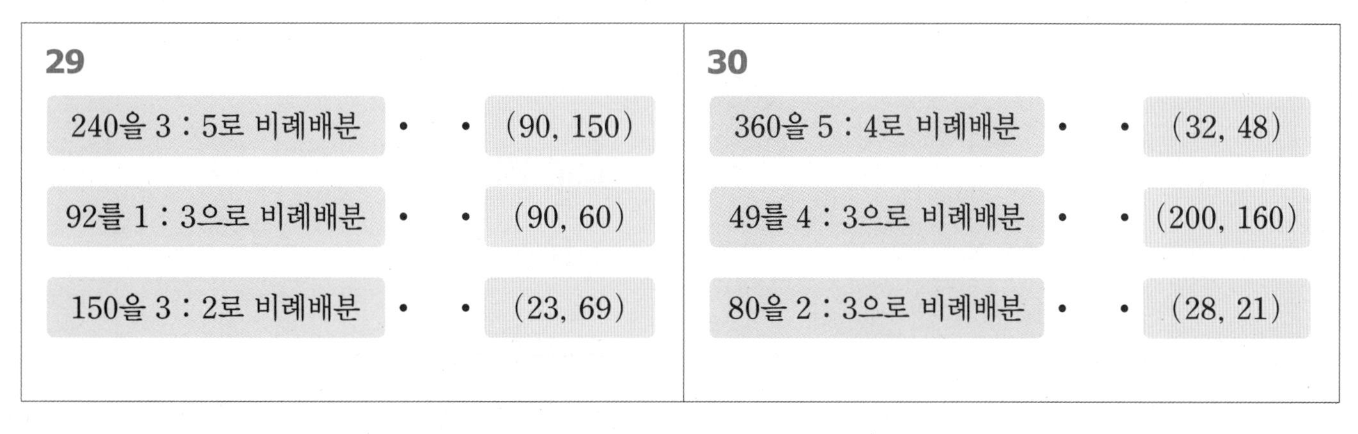

29

240을 3 : 5로 비례배분 •	• (90, 150)
92를 1 : 3으로 비례배분 •	• (90, 60)
150을 3 : 2로 비례배분 •	• (23, 69)

30

360을 5 : 4로 비례배분 •	• (32, 48)
49를 4 : 3으로 비례배분 •	• (200, 160)
80을 2 : 3으로 비례배분 •	• (28, 21)

31 용돈 15000원을 은비와 지수가 2 : 3으로 나누어 가졌습니다. 누가 용돈을 얼마나 더 많이 가졌는지 구하시오.

32 물 2 L를 혜진이와 나래가 5 : 3으로 나누어 마셨습니다. 누가 물을 몇 mL 더 많이 마셨는지 구하시오.

재미있게, 우리 연산하자!

지금까지 우리는 비례식과 비례배분을 배웠습니다.
힘들었을 텐데, 잘 풀었어요!

자, 그럼 마지막으로 지금까지 배운 비례식과 비례배분을 모두 이용해서
주어진 카드와 비율이 같은 비가 되도록 □ 안에 알맞은 수를 구해 봅시다.

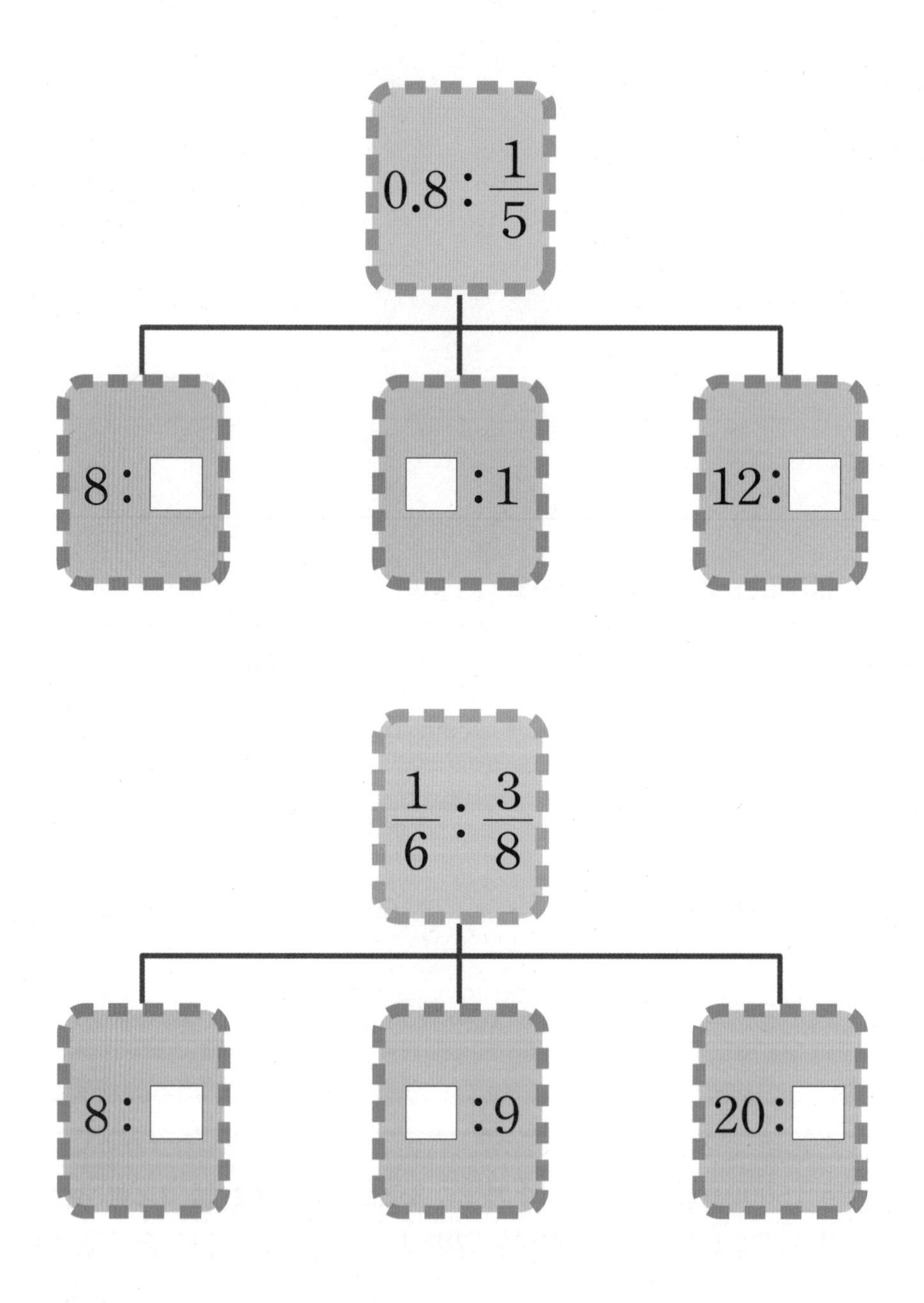

5

원의 넓이

공부할 내용	공부한 날
17 원주와 원주율	월 일
18 원의 넓이	월 일

17 원주와 원주율

우리는 [수학 3-2] 원에서 원의 중심, 반지름, 지름을 알아보았습니다.

띠 종이와 누름 못을 이용하여 원을 그릴 때에 누름 못이 꽂혔던 점 ㅇ을 원의 중심이라 하고, 원의 중심 ㅇ과 원 위의 한 점을 이은 선분을 원의 반지름이라고 하며, 원 위의 두 점을 이은 선분이 원의 중심 ㅇ을 지날 때, 이 선분을 원의 지름이라고 하였습니다.

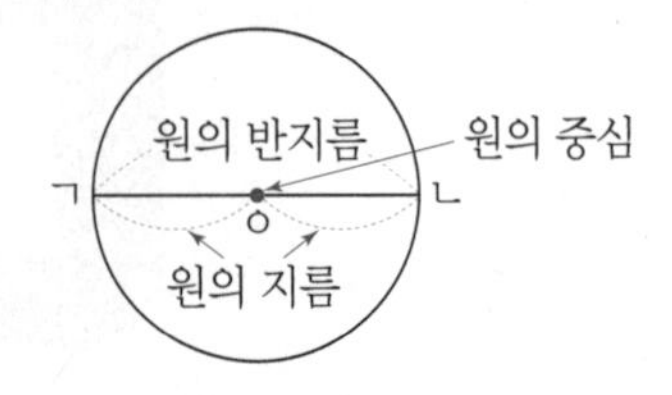

그렇다면 원의 둘레는 어떻게 구할까요?

원의 둘레를 **원주**라고 하며, 원의 크기와 관계없이 지름에 대한 원주의 비율은 일정합니다.

원의 지름에 대한 원주의 비를 **원주율**이라고 합니다.

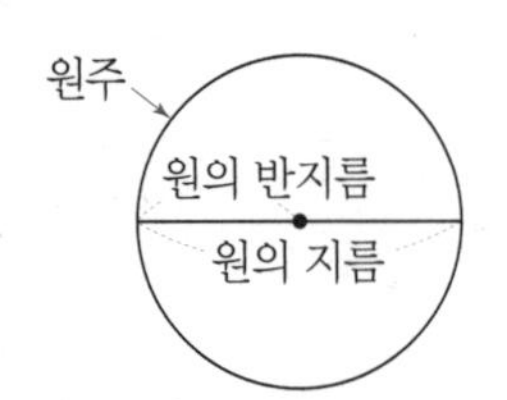

지름이 커지면 원주도 커지고, 원주가 커지면 지름도 커집니다.

(원주율)=(원주)÷(지름)

원주율을 소수로 나타내면 3.1415926535897932……와 같이 끝없이 이어집니다. 따라서 필요에 따라 3, 3.1, 3.14 등으로 어림하여 사용하기도 합니다.

원주율을 이용하여 원주와 지름을 구할 수 있습니다.

(원주율)=(원주)÷(지름)이므로 원주는 지름에 원주율을 곱하고, 지름은 원주를 원주율로 나누어 다음과 같이 구합니다.

- 지름을 알 때 원주율을 이용하여 원주 구하기 (원주율: 3.14)
  지름이 3 cm인 원의 원주 ⇨ (원주)=(지름)×(원주율)=3×3.14=9.42(cm)
- 원주를 알 때 원주율을 이용하여 지름 구하기 (원주율: 3.14)
  원주가 62.8 cm인 원의 지름
  ⇨ (지름)=(원주)÷(원주율)=62.8÷3.14=20(cm)

(원주율)=$\frac{(원주)}{(지름)}$
⇨ (원주)=(지름)×(원주율)
⇨ (지름)=$\frac{(원주)}{(원주율)}$

풍산자 비법

(원주율)=(원주)÷(지름)

예제 따라 풀어보는 연산

예제 1 원의 원주를 구하시오.

5 cm

(원주율: 3)

⇨ (원주)=(지름)×(원주율)=5×3=15(cm)

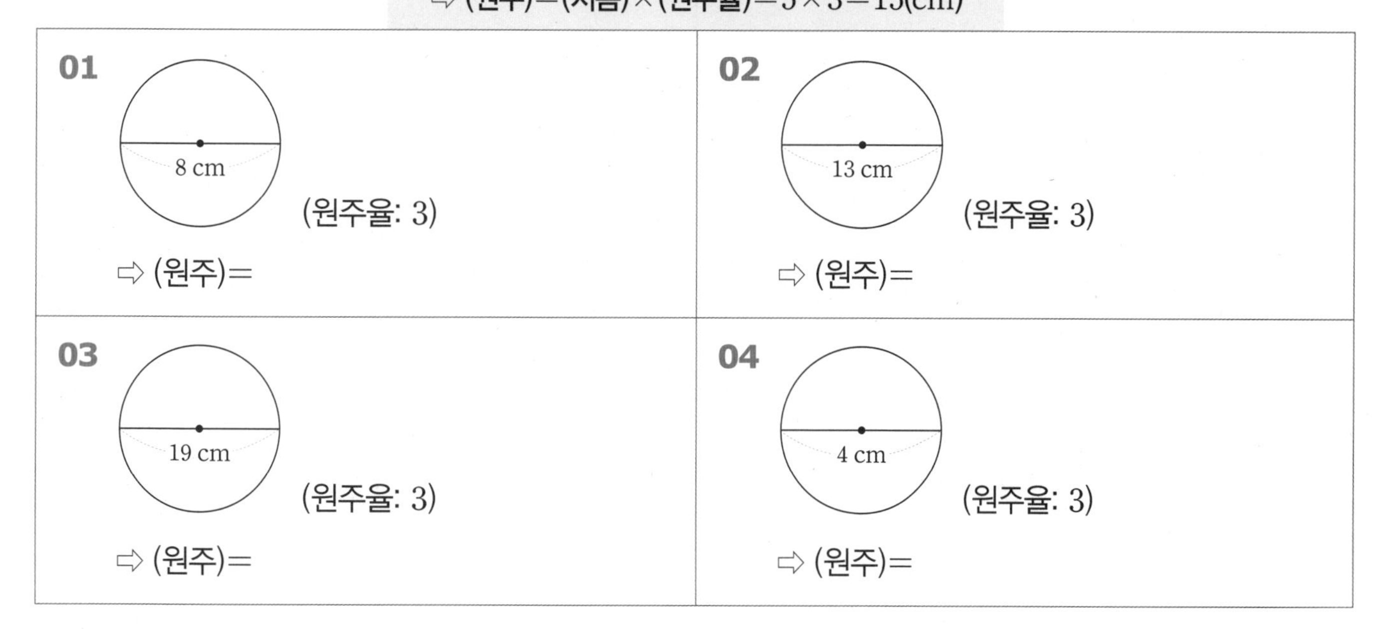

예제 2 원주가 12 cm인 원의 지름을 구하시오. (원주율: 3)

⇨ (지름)=(원주)÷(원주율)=12÷3=4(cm)

05 원주가 33 cm인 원의 지름 (원주율: 3) ⇨ (지름)=	**06** 원주가 48 cm인 원의 지름 (원주율: 3) ⇨ (지름)=
07 원주가 69 cm인 원의 지름 (원주율: 3) ⇨ (지름)=	**08** 원주가 51 cm인 원의 지름 (원주율: 3) ⇨ (지름)=
09 원주가 75 cm인 원의 지름 (원주율: 3) ⇨ (지름)=	**10** 원주가 192 cm인 원의 지름 (원주율: 3) ⇨ (지름)=

스스로 풀어보는 연산

[11-16] 원의 원주를 구하시오.

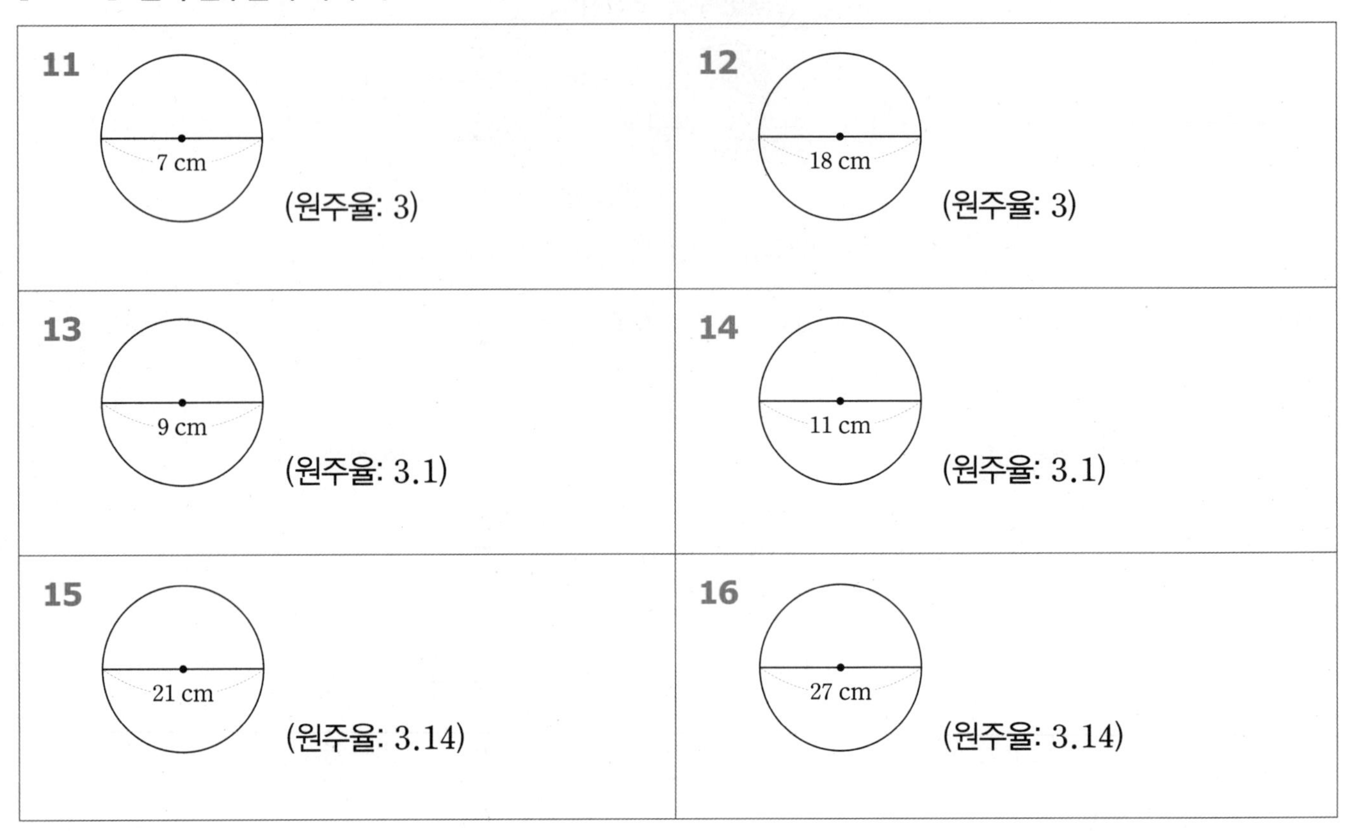

[17-22] 원의 지름을 구하시오.

17 원주가 15 cm인 원의 지름 (원주율: 3)	**18** 원주가 39 cm인 원의 지름 (원주율: 3)
19 원주가 43.4 cm인 원의 지름 (원주율: 3.1)	**20** 원주가 21.7 cm인 원의 지름 (원주율: 3.1)
21 원주가 47.1 cm인 원의 지름 (원주율: 3.14)	**22** 원주가 15.7 cm인 원의 지름 (원주율: 3.14)

응용 연산

[23-24] 빈칸에 알맞은 수를 써넣으시오.

23

원주(cm)	지름(cm)	원주율
12	4	
48	16	

24

원주(cm)	지름(cm)	원주율
28.26	9	
25.12	8	

[25-26] □ 안에 알맞은 수를 써넣으시오. (원주율: 3.14)

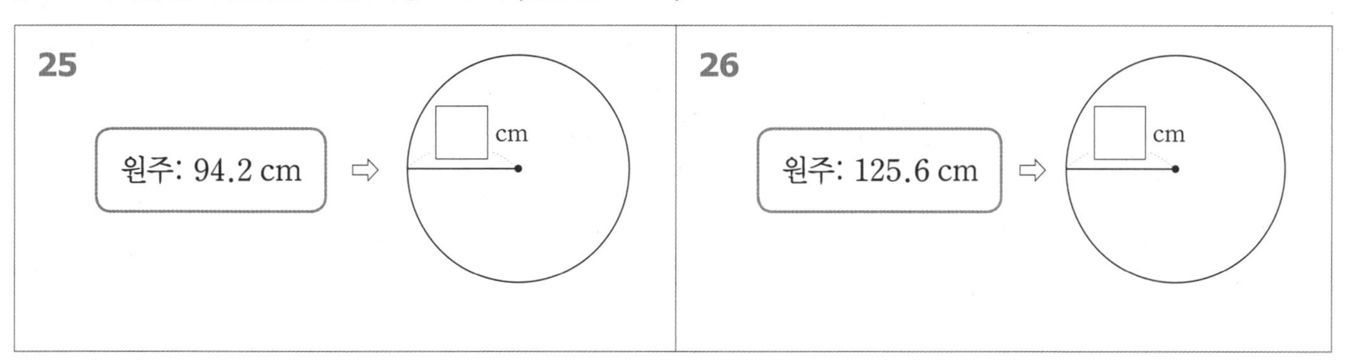

[27-28] 지름이 더 작은 원의 기호를 쓰시오. (원주율: 3)

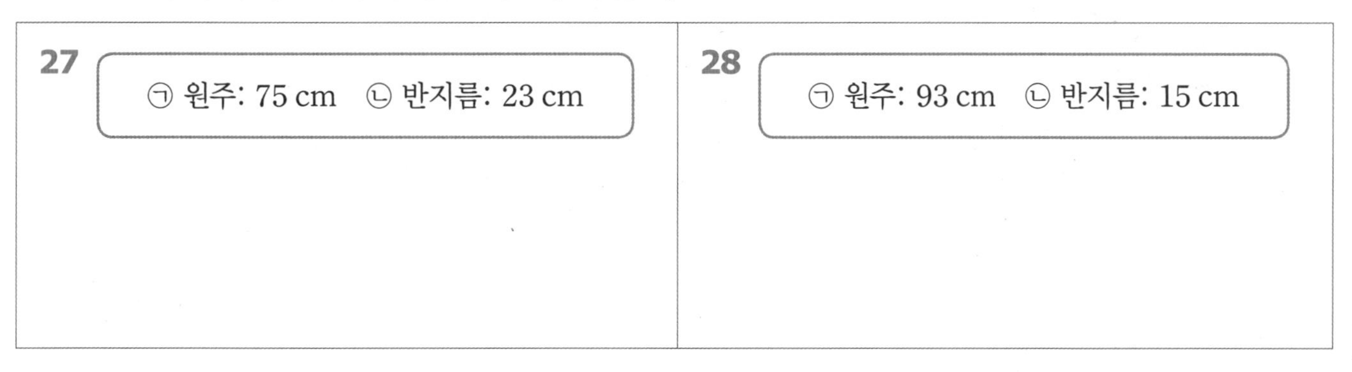

[29-30] (원주)÷(지름)을 비교하여 ○ 안에 >, =, <를 알맞게 써넣으시오.

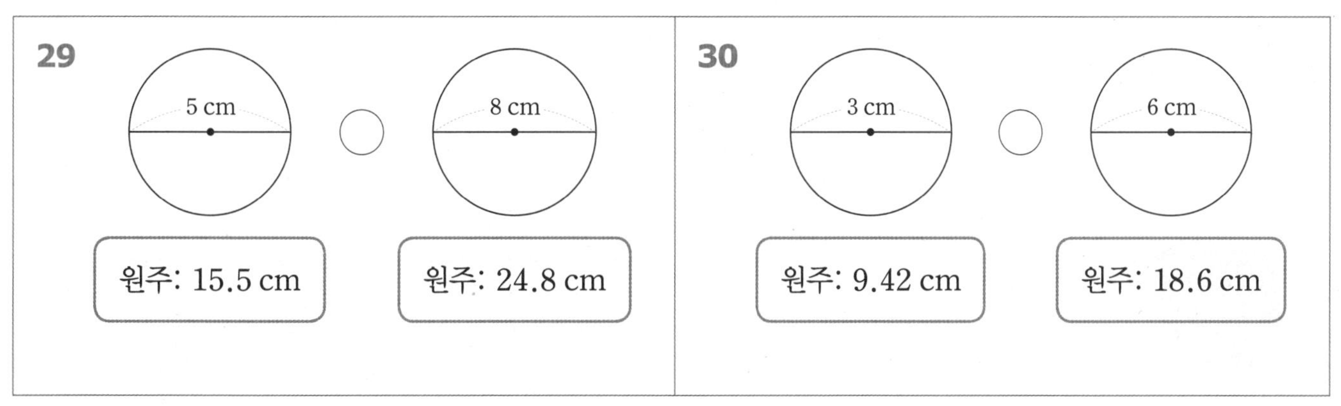

18 원의 넓이

우리는 앞 단원에서 원주율을 알아보았습니다.
원의 둘레를 원주라고 하며, 원의 지름에 대한 원주의 비를 원주율이라고 하였습니다.

(원주율)=(원주)÷(지름)

원의 크기와 관계없이 원주율은 일정합니다.

원주율을 소수로 나타내면 3.1415926535897932……와 같이 끝없이 이어지므로 필요에 따라 3, 3.1, 3.14 등으로 어림하여 사용하기도 하였습니다.

그렇다면 원의 넓이는 어떻게 구할까요?
원을 한없이 잘라 이어 붙여서 점점 직사각형에 가까워지는 도형을 이용하여 원의 넓이를 구할 수 있습니다.
그림과 같이 점점 직사각형에 가까워지는 도형의 가로는 원주의 $\frac{1}{2}$과 같고 세로는 원의 반지름과 같습니다.

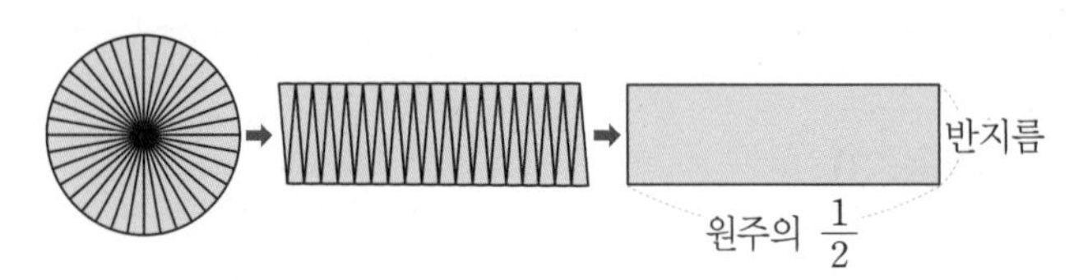

직사각형의 넓이 구하는 방법을 이용하여 원의 넓이를 구하면 다음과 같습니다.

(원의 넓이)=(직사각형의 넓이)
=(직사각형의 가로)×(직사각형의 세로)
=$\left(\text{원주의 } \frac{1}{2}\right)$×(반지름)
=(원주율)×(지름)×$\frac{1}{2}$×(반지름)
=(원주율)×(반지름)×(반지름)

(지름)×$\frac{1}{2}$=(반지름)

풍산자 비법

(원의 넓이)=(원주율)×(반지름)×(반지름)

예제 따라 풀어보는 연산

예제 1

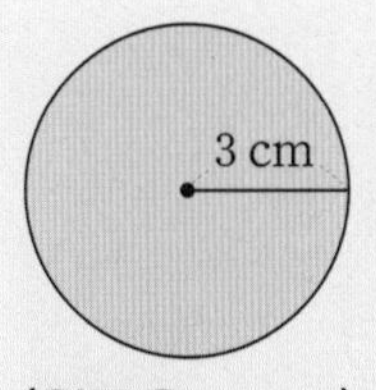

(원주율: 3.14)

⇨ (원의 넓이)=(원주율)×(반지름)×(반지름)이므로
원의 넓이는 $3.14 \times 3 \times 3 = 28.26(cm^2)$입니다.

01 2 cm ⇨ (원의 넓이)= (원주율: 3.14)	**02** 4 cm ⇨ (원의 넓이)= (원주율: 3.14)
03 7 cm ⇨ (원의 넓이)= (원주율: 3.14)	**04** 6 cm ⇨ (원의 넓이)= (원주율: 3.14)

예제 2

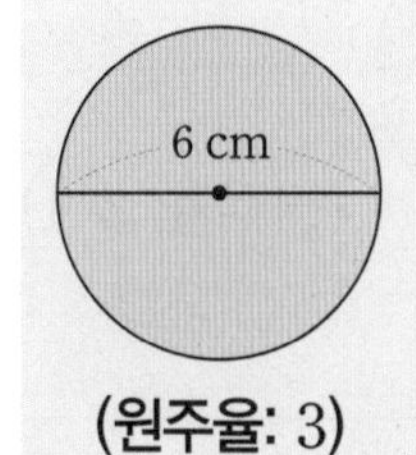

(원주율: 3)

⇨ 지름이 6 cm인 원의 반지름은 3 cm이고
(원의 넓이)=(원주율)×(반지름)×(반지름)이므로
원의 넓이는 $3 \times 3 \times 3 = 27(cm^2)$입니다.

05

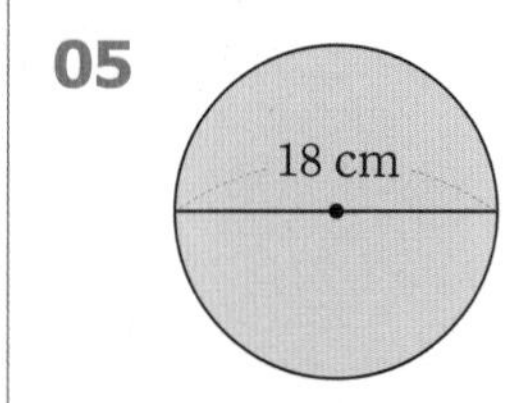

⇨ (원의 넓이)=

(원주율: 3)

06

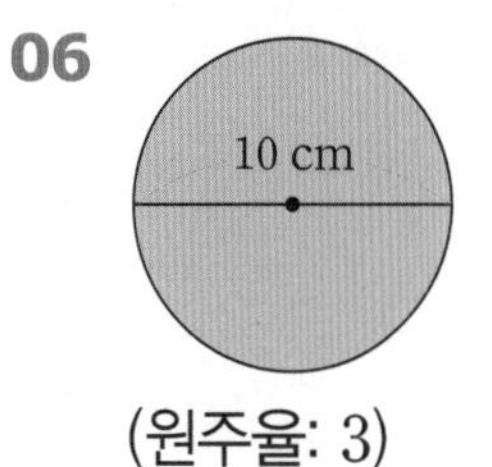

⇨ (원의 넓이)=

(원주율: 3)

07

16 cm

⇨ (원의 넓이)=

(원주율: 3)

08

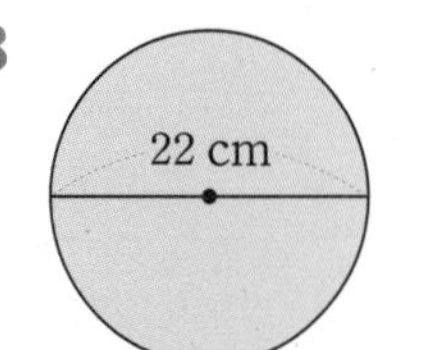

⇨ (원의 넓이)=

(원주율: 3)

스스로 풀어보는 연산

[09-20] 원의 넓이를 구하시오.

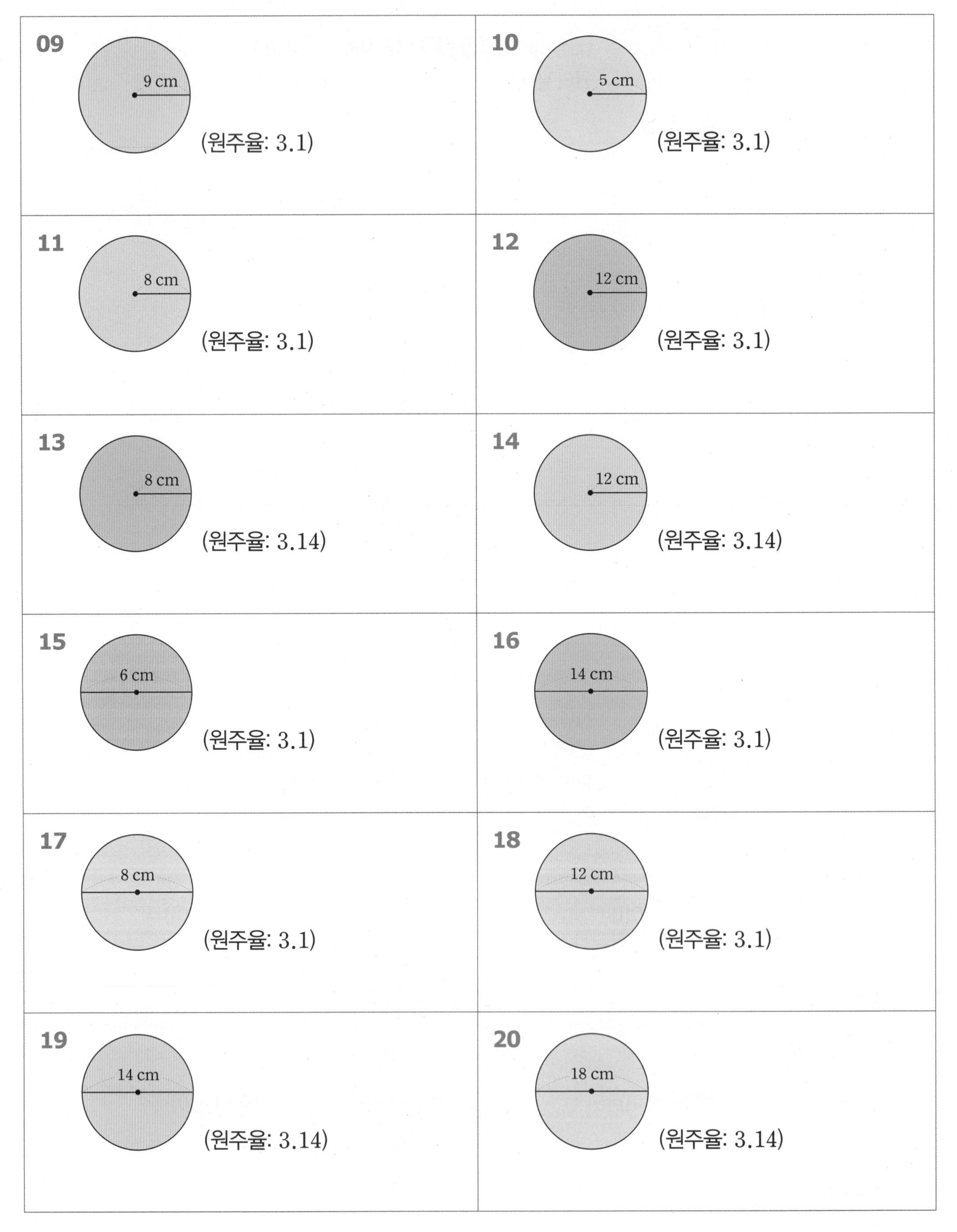

응용 연산

[21-22] 빈칸에 알맞은 수를 써넣으시오.

21

반지름 (cm)	지름 (cm)	원주율	원의 넓이 (cm^2)
10		3	
15		3.1	

22

반지름 (cm)	지름 (cm)	원주율	원의 넓이 (cm^2)
7		3.1	
6		3.14	

[23-24] □ 안에 알맞은 수를 써넣으시오. (원주율: 3.1)

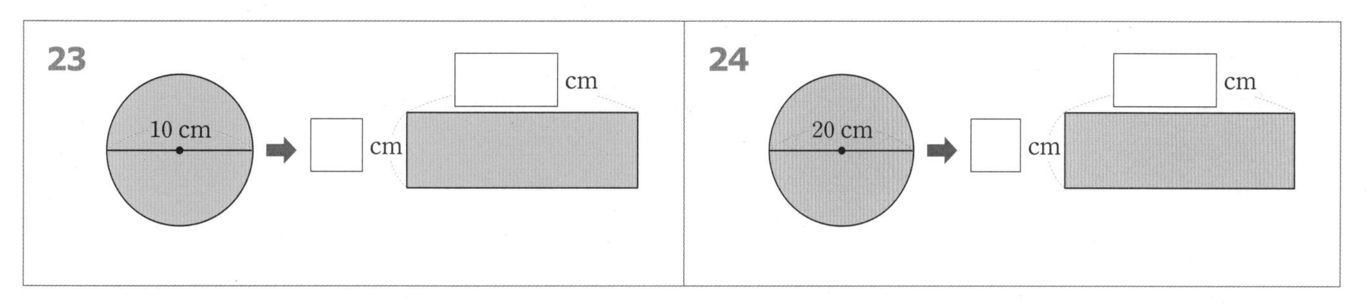

[25-26] 원의 넓이가 큰 것부터 차례대로 기호를 쓰시오. (원주율: 3)

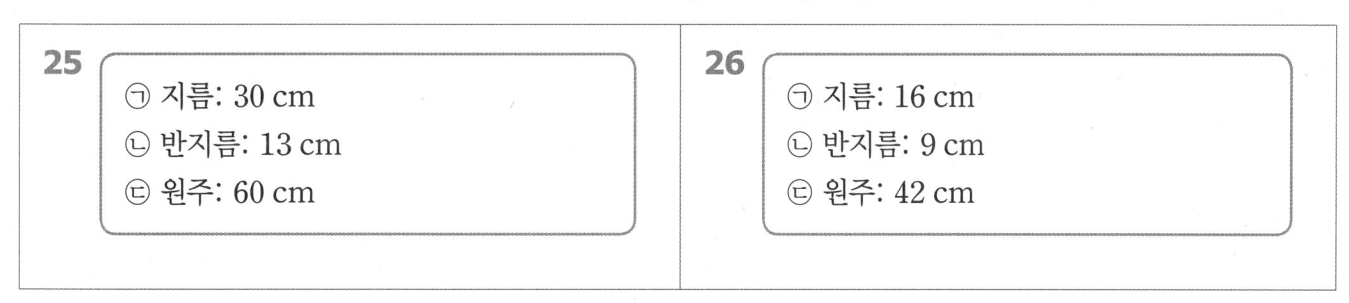

[27-28] 양궁 과녁 그림을 보고 각각의 색깔이 차지하는 넓이를 구하시오. (원주율: 3.14)

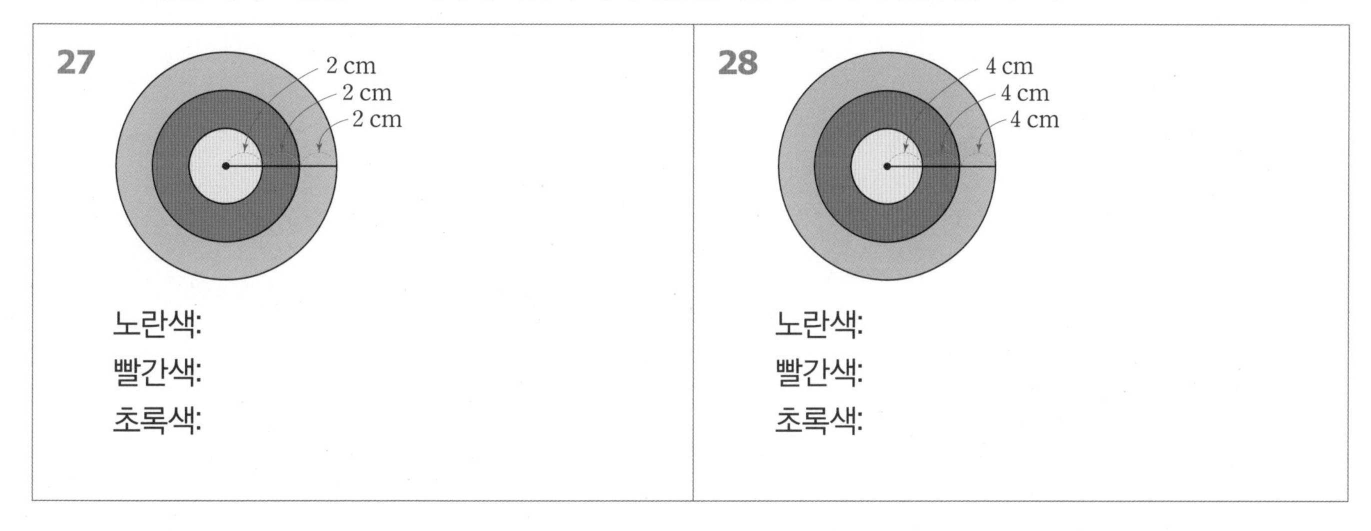

재미있게, 우리 연산하자!

지금까지 우리는 원의 넓이를 배웠습니다.
힘들었을 텐데, 잘 풀었어요!

자, 그럼 마지막으로 지금까지 배운 원의 넓이를 모두 이용해서 두 원의 넓이를 비교하여 '큰'이 있으면 큰 원의 넓이로, '작'이 있으면 작은 원의 넓이로 하여 ❶, ❷, ❸에 알맞은 원의 넓이를 구하시오. (원주율: 3.14)

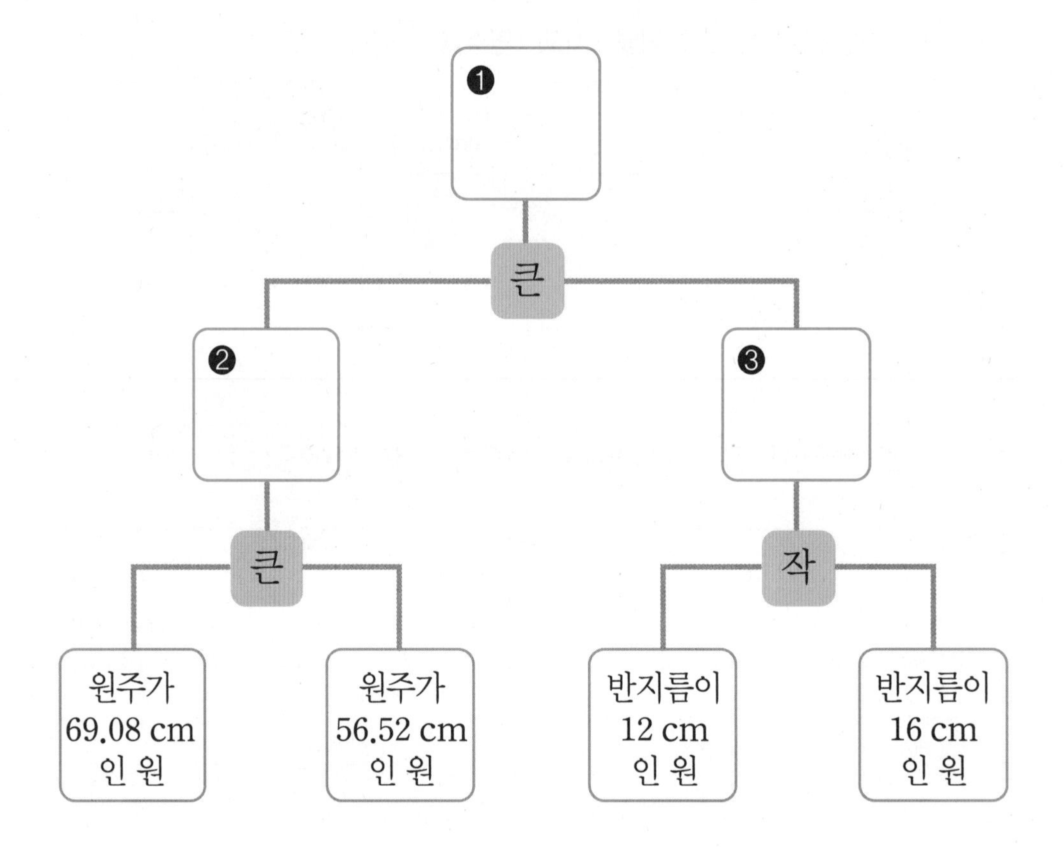

6

원기둥, 원뿔, 구

공부할 내용	공부한 날
19 원기둥	월 일
20 원뿔과 구	월 일

19 원기둥

우리는 [수학 6-1] 각기둥과 각뿔에서 각기둥을 알아보았습니다.

위와 아래에 있는 면이 서로 평행하고 합동인 다각형으로 이루어진 오른쪽 그림과 같은 입체도형을 각기둥이라고 하였습니다.

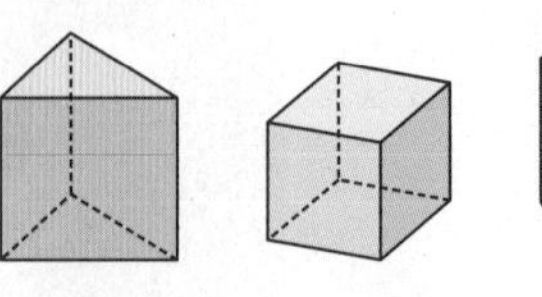
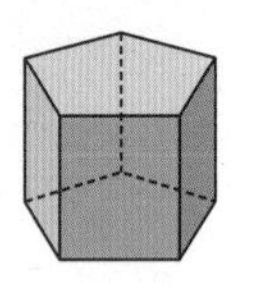

각기둥은 밑면의 모양에 따라 삼각기둥, 사각기둥, 오각기둥 ……이라고 하였습니다.

각기둥에서 서로 평행하고 합동인 두 면을 밑면, 두 밑면과 만나는 면을 옆면이라고 하였습니다. 각기둥에서 면과 면이 만나는 선분을 모서리, 모서리와 모서리가 만나는 점을 꼭짓점, 두 밑면 사이의 거리를 높이라고 하였습니다.

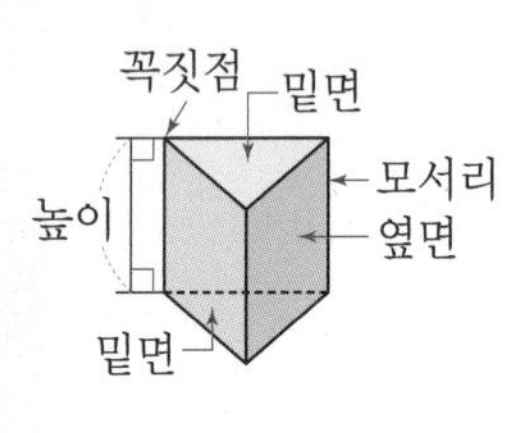

그렇다면 위와 아래에 있는 면이 서로 평행하고 합동인 원으로 이루어진 둥근기둥 모양의 입체도형을 무엇이라고 할까요?

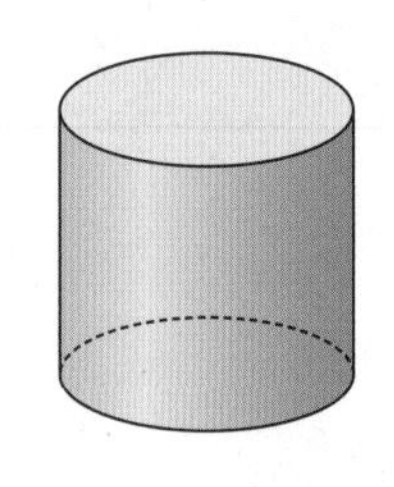
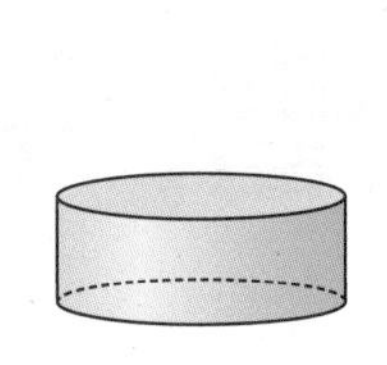
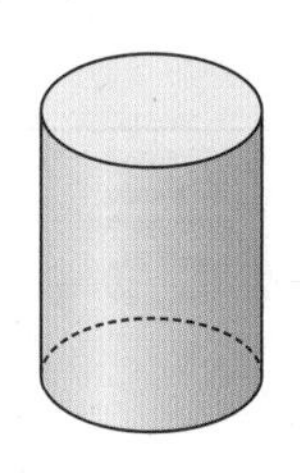

위와 같은 입체도형을 **원기둥**이라고 합니다.

원기둥에서 서로 평행하고 합동인 두 면을 **밑면**이라 하고, 두 밑면과 만나는 면을 **옆면**이라고 합니다.

이때 원기둥의 옆면은 굽은 면입니다.

또, 두 밑면에 수직인 선분의 길이를 **높이**라고 합니다.

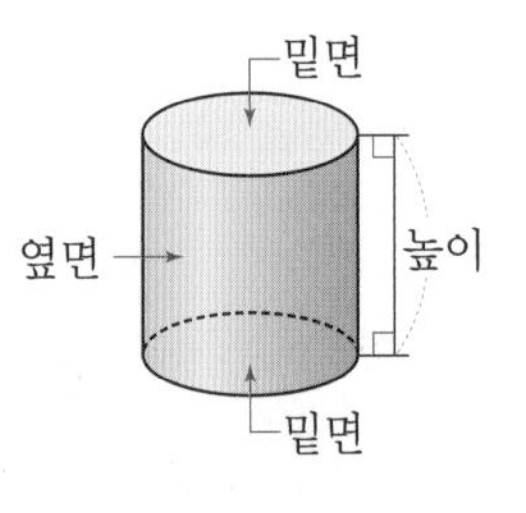

직사각형 모양의 종이를 한 변을 기준으로 돌리면 원기둥이 됩니다.

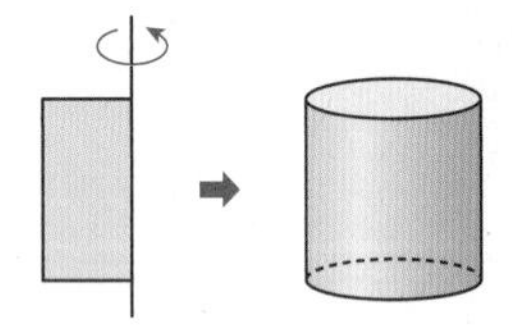

원기둥을 잘라서 펼쳐 놓은 그림을 원기둥의 **전개도**라고 합니다.

원기둥의 전개도에서 옆면의 가로와 세로의 길이는 각각 원기둥의 밑면의 둘레, 높이와 같습니다.

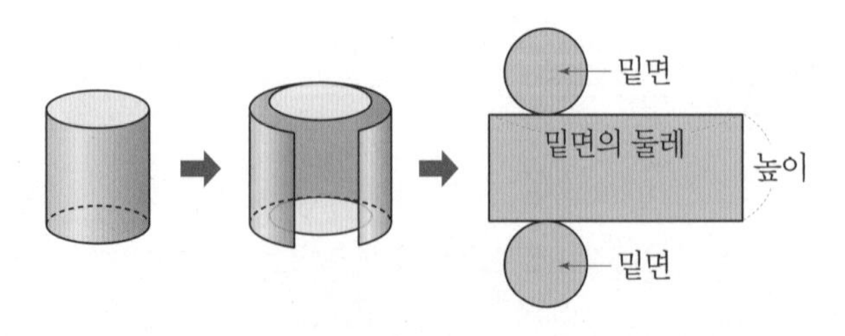

원기둥의 전개도에서 밑면의 모양은 원이고 옆면의 모양은 직사각형입니다.

풍산자 비법

원기둥의 두 밑면은 서로 평행이고 합동이다.

예제 따라 풀어보는 연산

예제 1 원기둥을 모두 찾아 기호를 쓰시오.

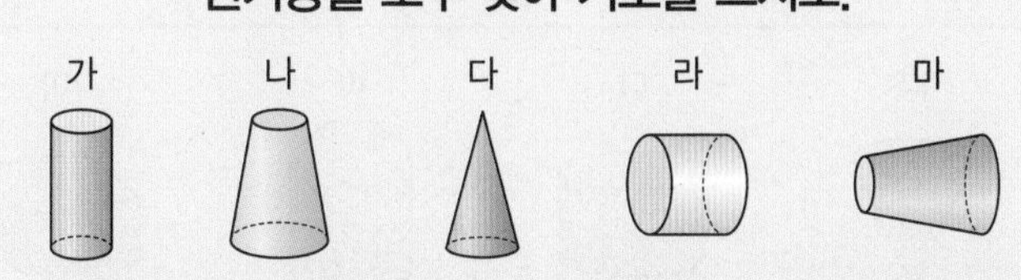

⇨ 위와 아래에 있는 면이 서로 평행하고 합동인 원으로 이루어진 입체도형은 **가, 라**입니다.

01

02

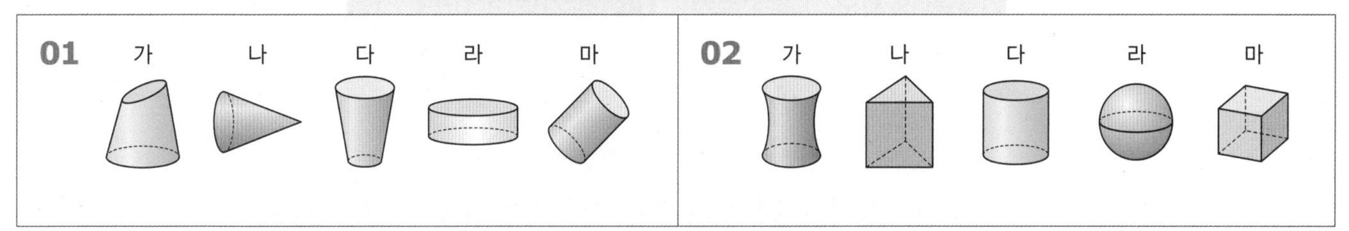

예제 2 직사각형 모양의 종이를 한 변을 기준으로 돌려 만든 입체도형을 보고 □ 안에 알맞은 수를 써넣으시오.

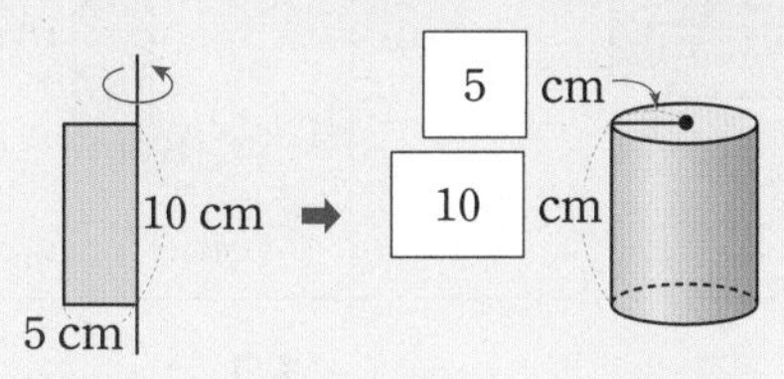

03

04

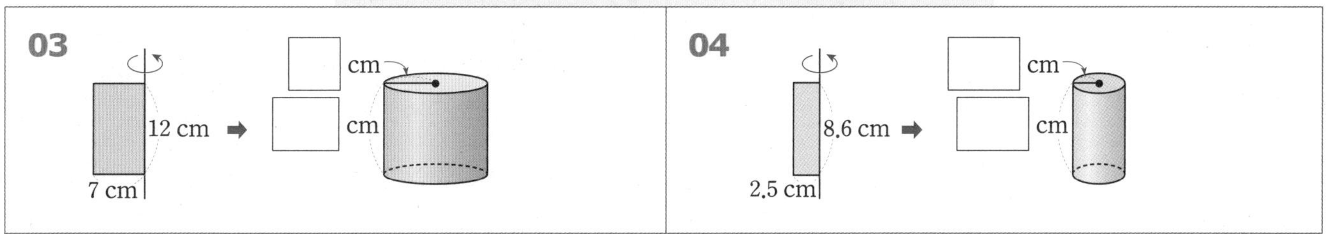

예제 3 원기둥과 원기둥의 전개도를 보고 □ 안에 알맞은 수를 써넣으시오. (원주율: 3.1)

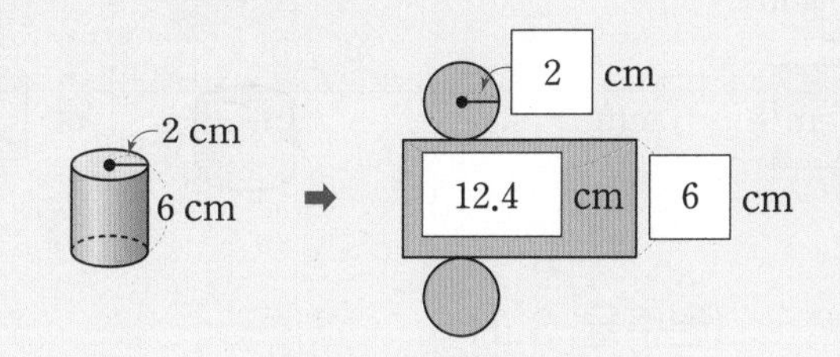

05

06

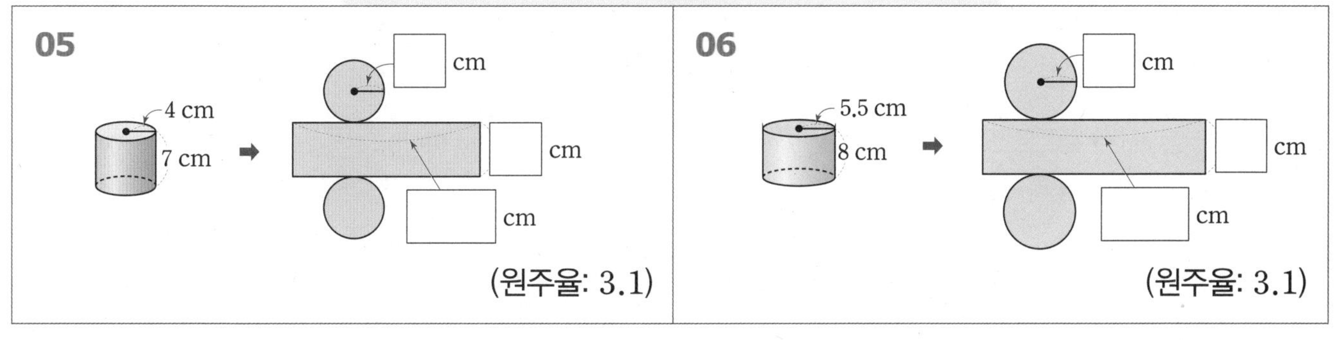

스스로 풀어보는 연산

[07-08] 그림을 보고 물음에 답하시오.

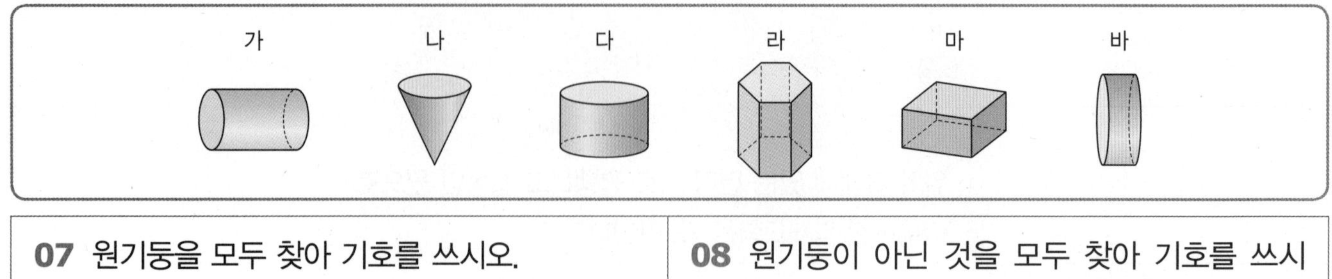

07 원기둥을 모두 찾아 기호를 쓰시오.	**08** 원기둥이 아닌 것을 모두 찾아 기호를 쓰시오.

[09-12] 직사각형 모양의 종이를 한 변을 기준으로 돌려 만든 입체도형을 보고 □ 안에 알맞은 수를 써넣으시오.

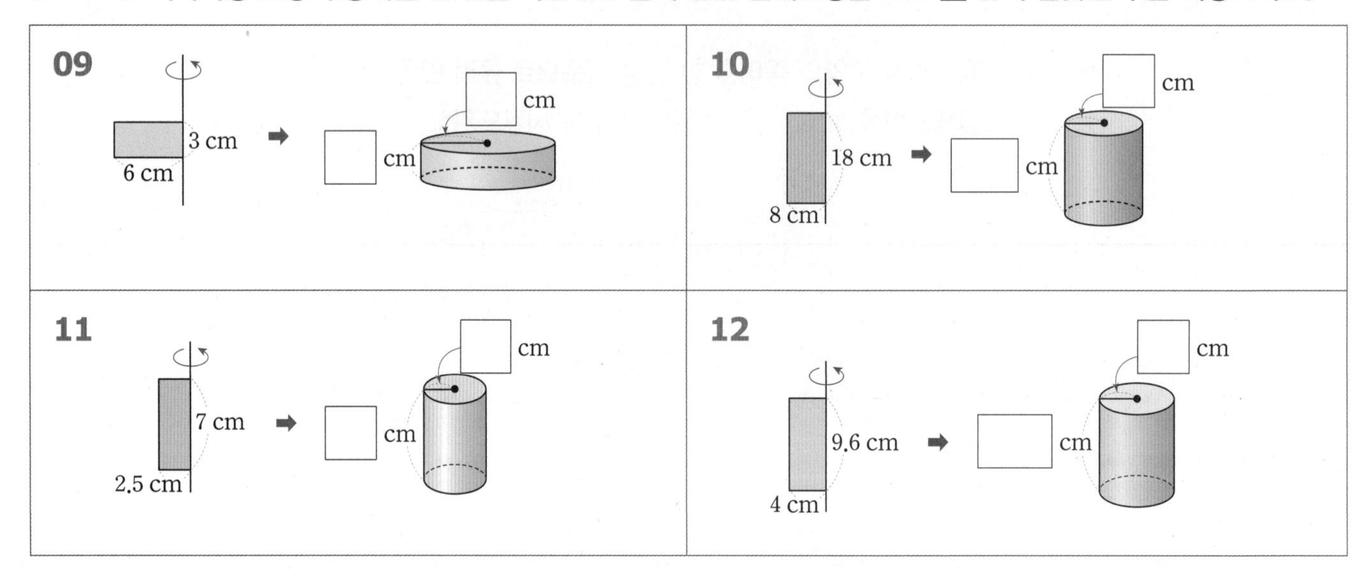

[13-16] 원기둥과 원기둥의 전개도를 보고 □ 안에 알맞은 수를 써넣으시오.

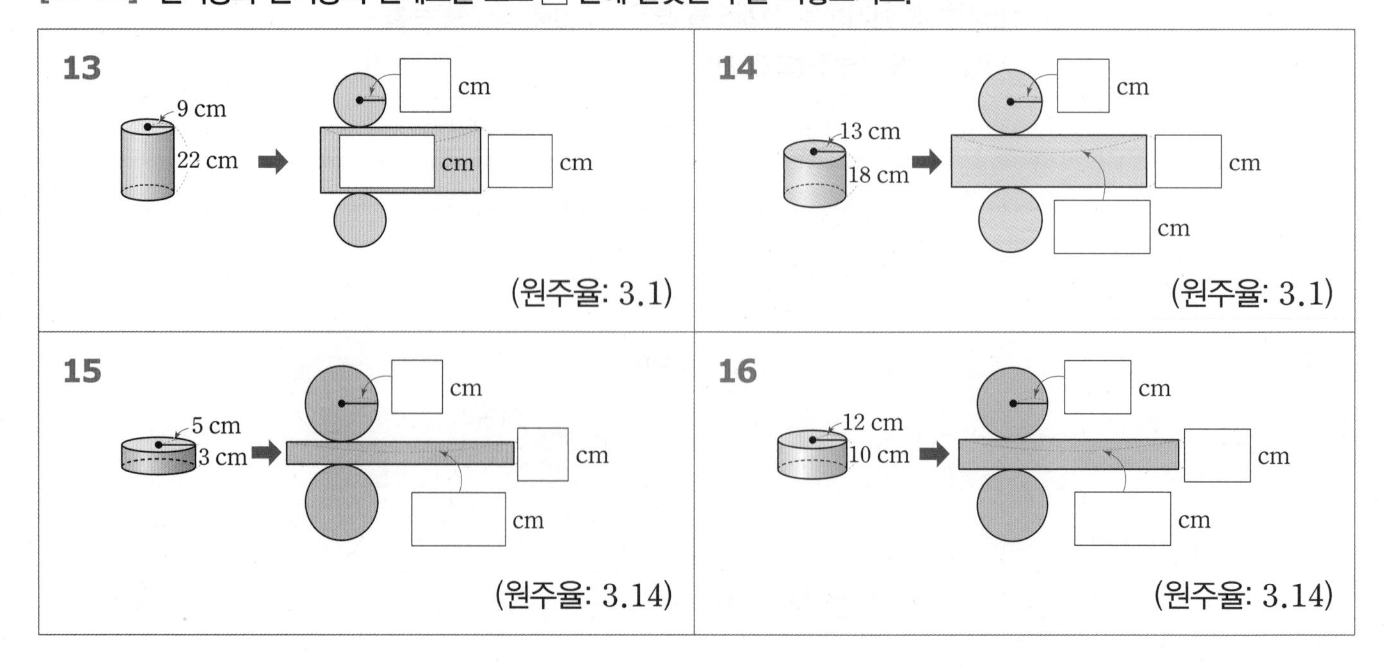

응용 연산

[17-18] 원기둥의 전개도가 아닌 것을 모두 골라 기호를 쓰시오.

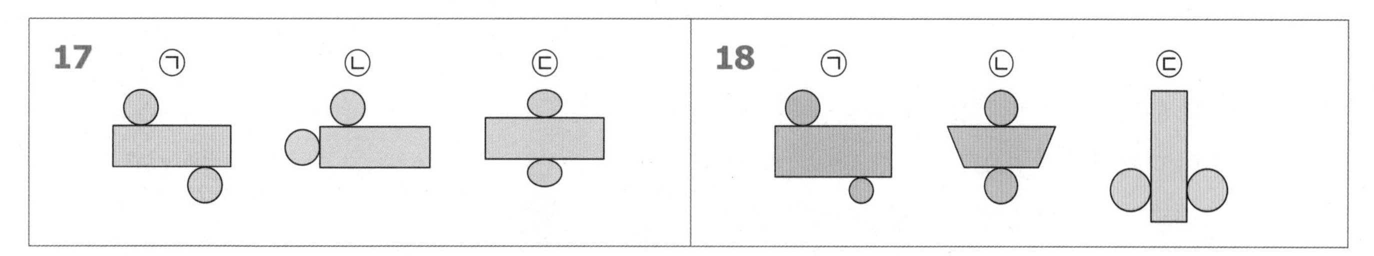

[19-20] 직사각형 모양의 종이를 한 변을 기준으로 돌려 만든 입체도형을 보고 □ 안에 알맞은 수를 써넣으시오. (원주율: 3)

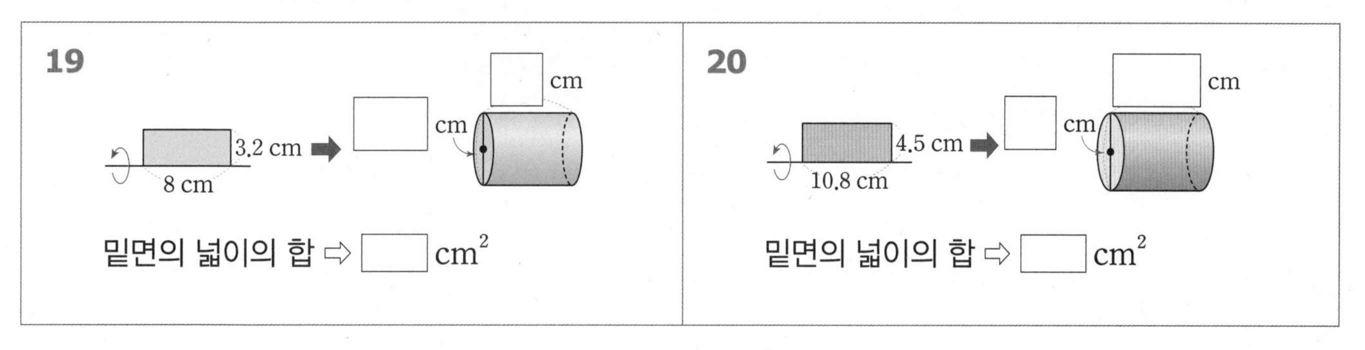

[21-22] □ 안에 알맞은 수가 큰 것의 기호를 쓰시오.

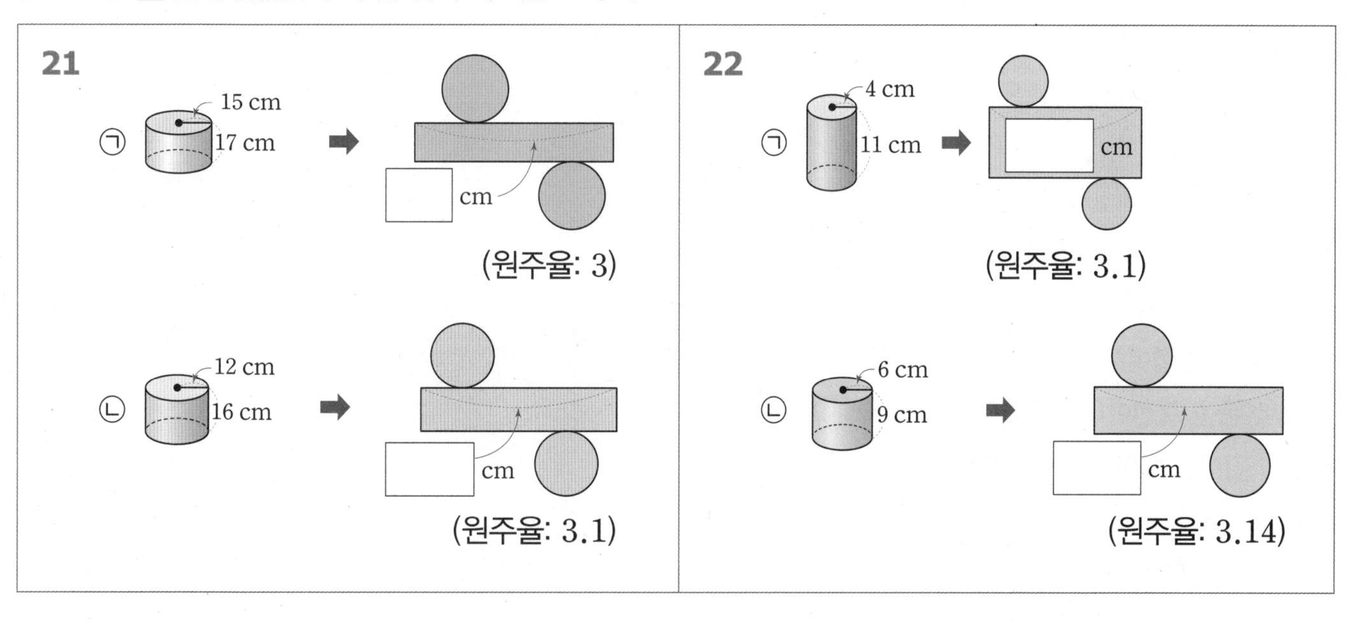

[23-24] 원기둥의 전개도를 보고 원기둥의 밑면의 반지름은 몇 cm인지 구하시오. (원주율: 3.1)

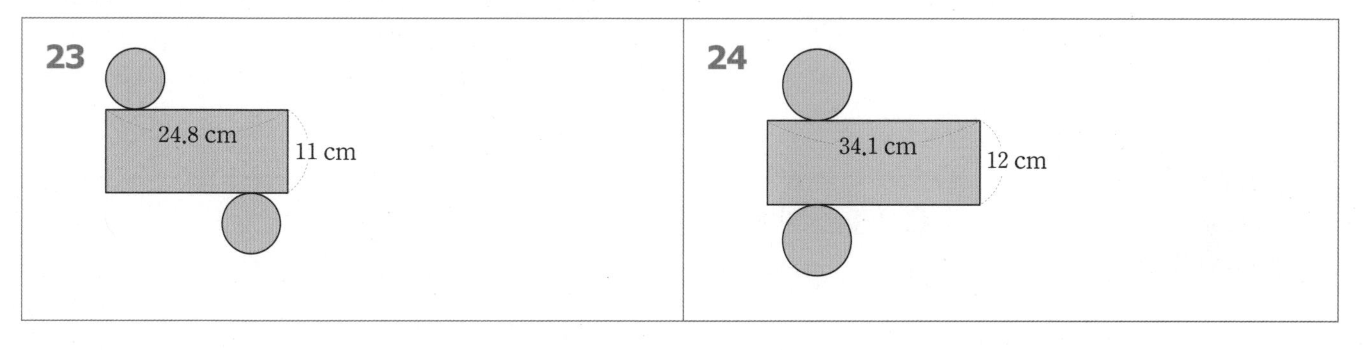

20 원뿔과 구

우리는 **[수학 6-1]** 각기둥과 각뿔에서 각뿔을 알아보았습니다.

밑에 놓인 면이 다각형이고 옆으로 둘러싼 면이 삼각형인 오른쪽 그림과 같은 입체도형을 각뿔이라고 하였습니다.

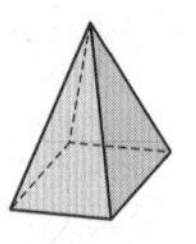
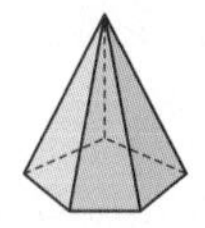

각뿔에서 면 ㄴㄷㄹㅁ과 같은 면을 밑면, 밑면과 만나는 면을 옆면이라고 하였습니다. 각뿔에서 면과 면이 만나는 선분을 모서리, 모서리와 모서리가 만나는 점을 꼭짓점, 꼭짓점 중에서도 옆면이 모두 만나는 점을 각뿔의 꼭짓점, 각뿔의 꼭짓점에서 밑면에 수직인 선분의 길이를 높이라고 하였습니다.

ㄱ 각뿔의 꼭짓점
모서리
옆면
높이
ㅁ
ㄹ
ㄴ
밑면
ㄷ
꼭짓점

각뿔은 밑면의 모양에 따라 삼각뿔, 사각뿔, 오각뿔……이라고 하였습니다.

그렇다면 평평한 면이 1개이고 원이며 뾰족한 뿔 모양의 입체도형을 무엇이라고 할까요?

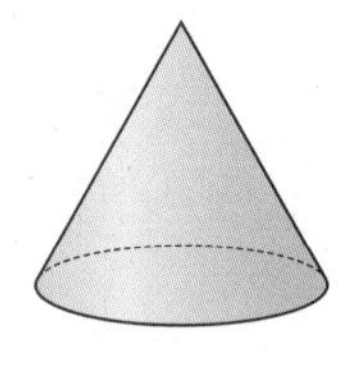
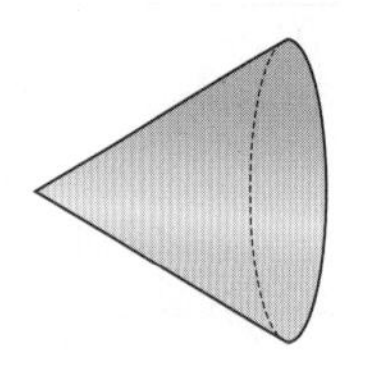
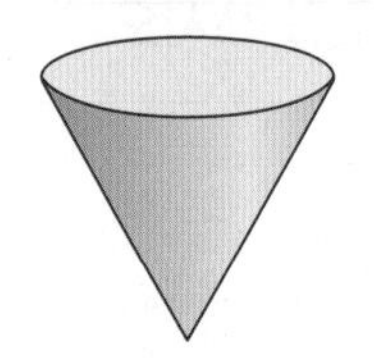

위와 같은 입체도형을 **원뿔**이라고 합니다.

원뿔에서 평평한 면을 **밑면**, 옆을 둘러싼 굽은 면을 **옆면**이라고 하며 원뿔에서 뾰족한 부분의 점을 **원뿔의 꼭짓점**이라고 합니다. 원뿔에서 꼭짓점과 밑면인 원의 둘레의 한 점을 이은 선분을 **모선**이라고 하고, 꼭짓점에서 밑면에 수직인 선분의 길이를 **높이**라고 합니다.

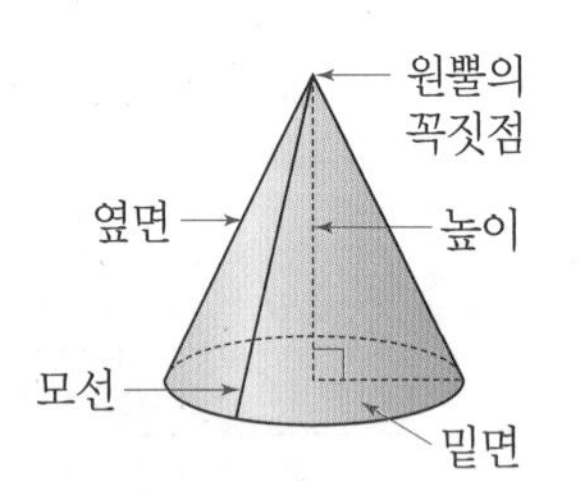

직각삼각형 모양의 종이를 한 변을 기준으로 돌리면 원뿔이 됩니다.

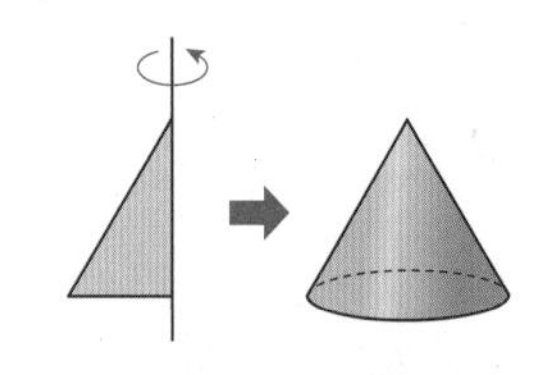

오른쪽 그림과 같은 공 모양의 입체도형을 **구**라고 합니다. 구에서 가장 안쪽에 있는 점을 **구의 중심**이라 하고, 구의 중심에서 구의 겉면의 한 점을 이은 선분을 **구의 반지름**이라고 합니다.

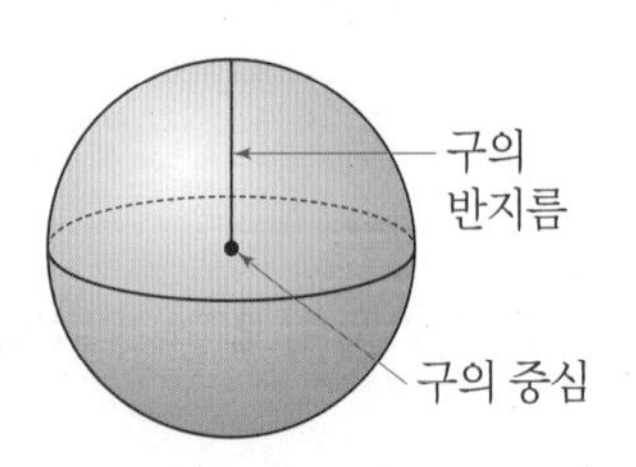

반원 모양의 종이를 지름을 기준으로 돌리면 구가 됩니다.

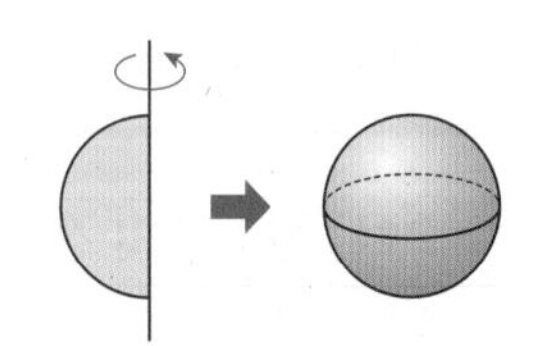

풍산자 비법

❶ 원뿔 ⇨ 밑면은 1개이고 옆면은 굽은 면이다.

❷ 구 ⇨ 밑면과 옆면이 없고 굽은 면으로 둘러싸여 있다.

예제 따라 풀어보는 연산

예제 1 원뿔을 모두 찾아 기호를 쓰시오.

가 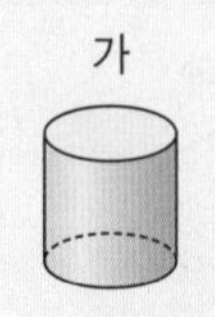 나 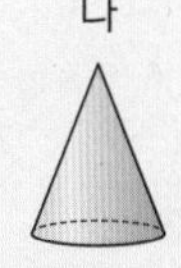 다 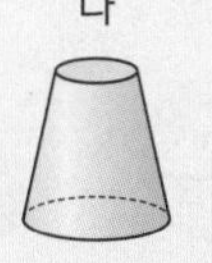 라 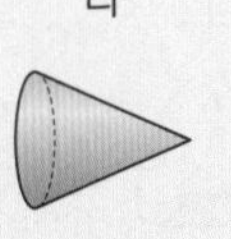 마 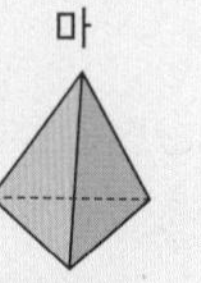

⇨ 평평한 면이 1개이고 원이며 뾰족한 뿔 모양인 입체도형은 **나**, **라**입니다.

01 원뿔을 모두 찾아 기호를 쓰시오.

가 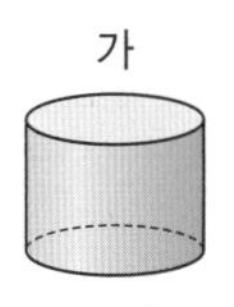 나 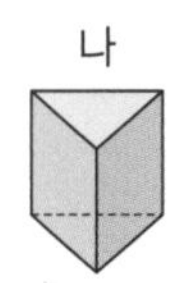 다  라 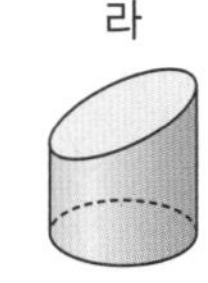 마 

02 구를 찾아 기호를 쓰시오.

가 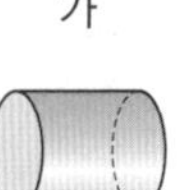 나  다 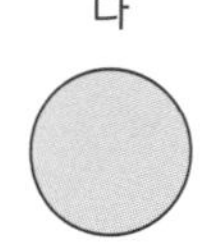 라 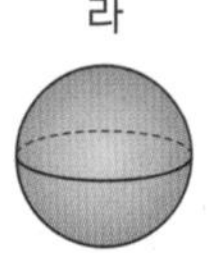 마 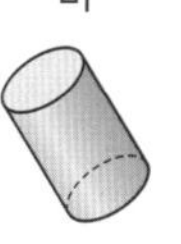

예제 2 직각삼각형 모양의 종이를 한 변을 기준으로 돌려 만든 입체도형을 보고 □ 안에 알맞은 수를 써넣으시오.

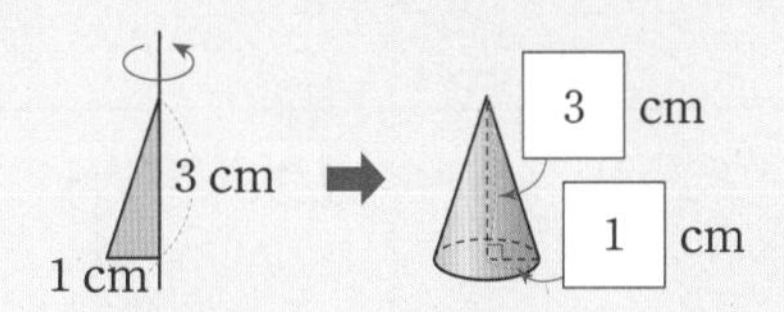

03

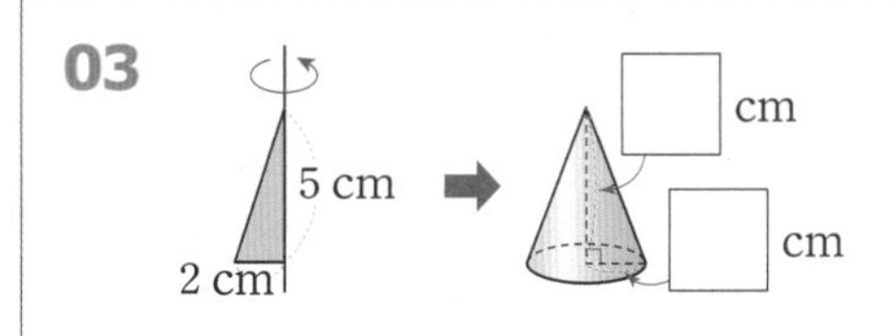

04

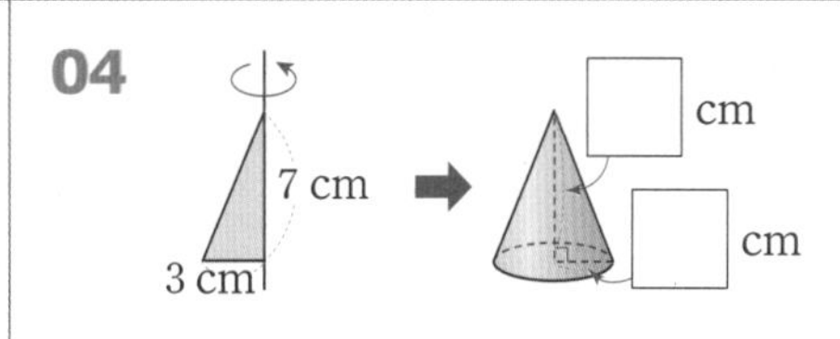

예제 3 반원 모양의 종이를 지름을 기준으로 돌려 만든 입체도형을 보고 □ 안에 알맞은 수를 써넣으시오.

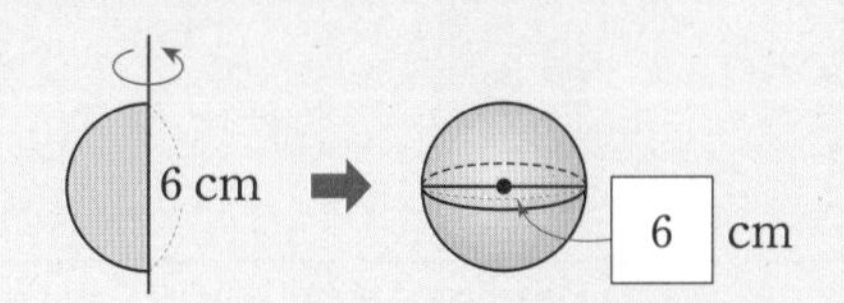

05

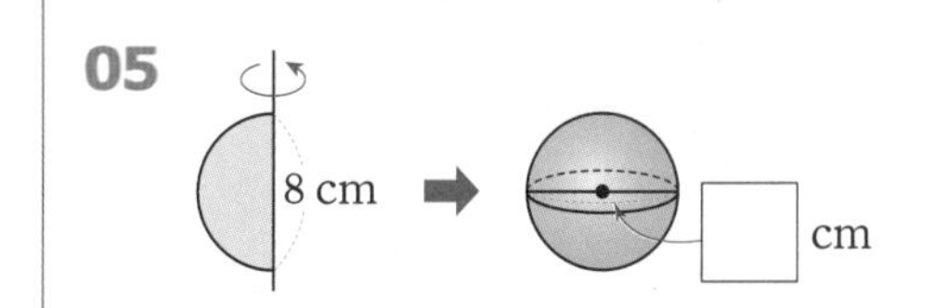

06

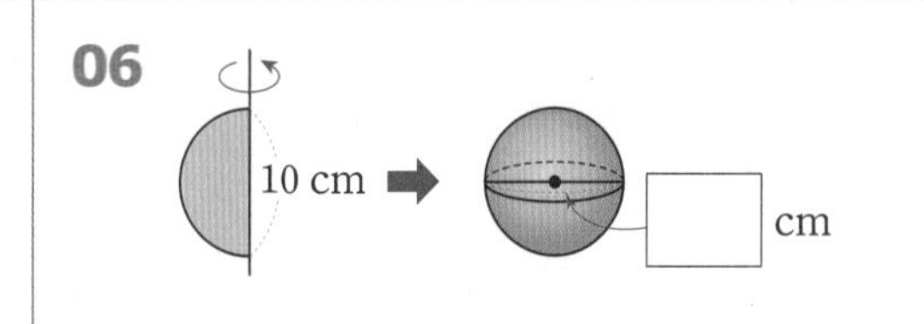

스스로 풀어보는 연산

[07-08] 그림을 보고 물음에 답하시오.

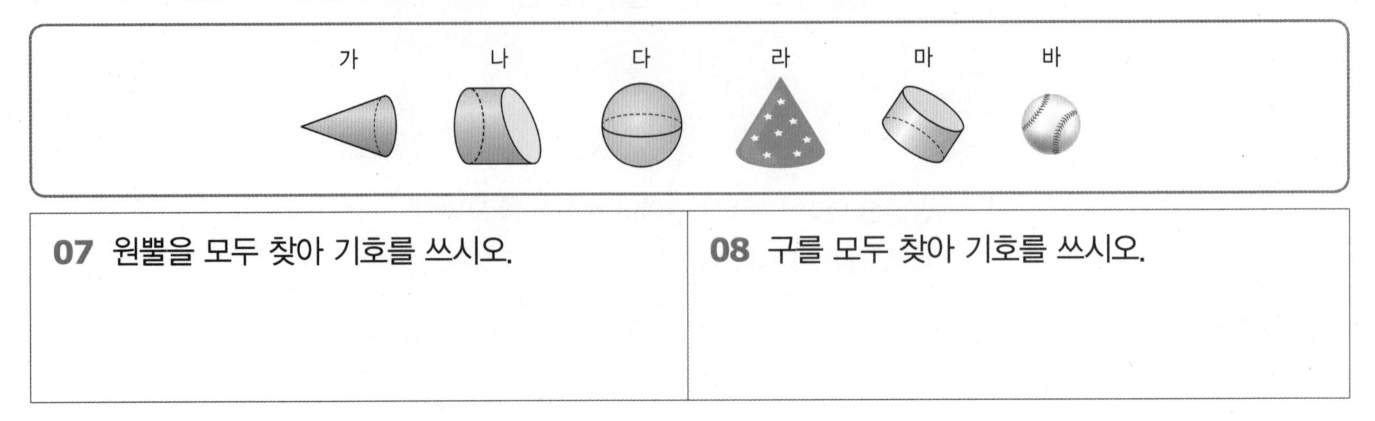

07 원뿔을 모두 찾아 기호를 쓰시오.	08 구를 모두 찾아 기호를 쓰시오.

[09-12] 직각삼각형 모양의 종이를 한 변을 기준으로 돌려 만든 입체도형을 보고 □ 안에 알맞은 수를 써넣으시오.

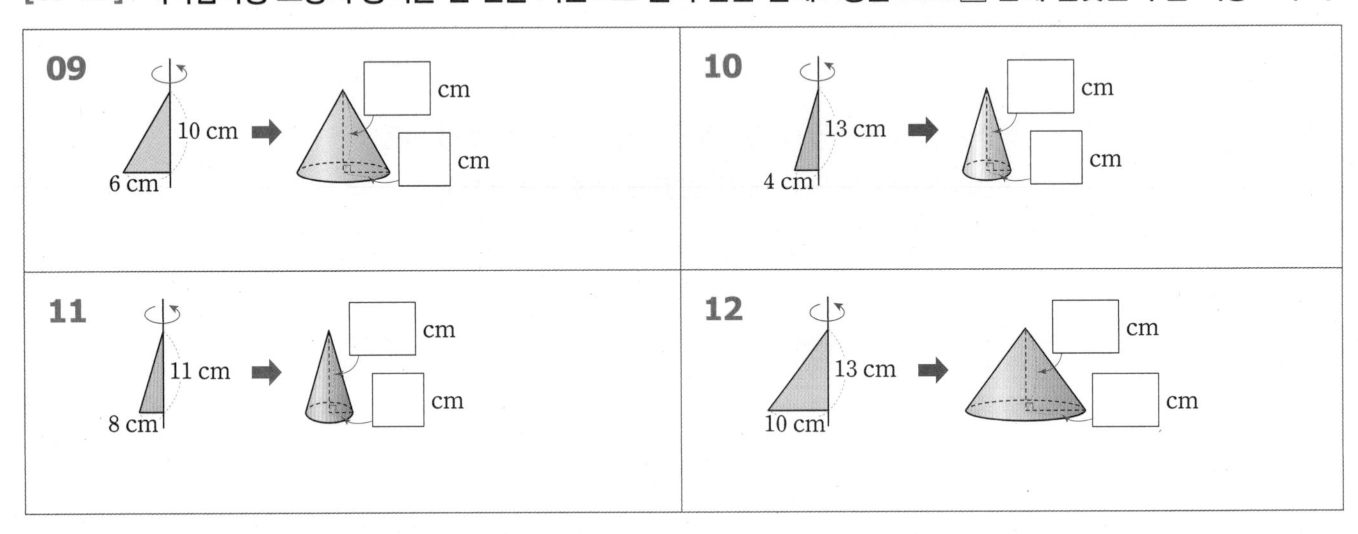

[13-16] 반원 모양의 종이를 한 변을 기준으로 돌려 만든 입체도형을 보고 □ 안에 알맞은 수를 써넣으시오.

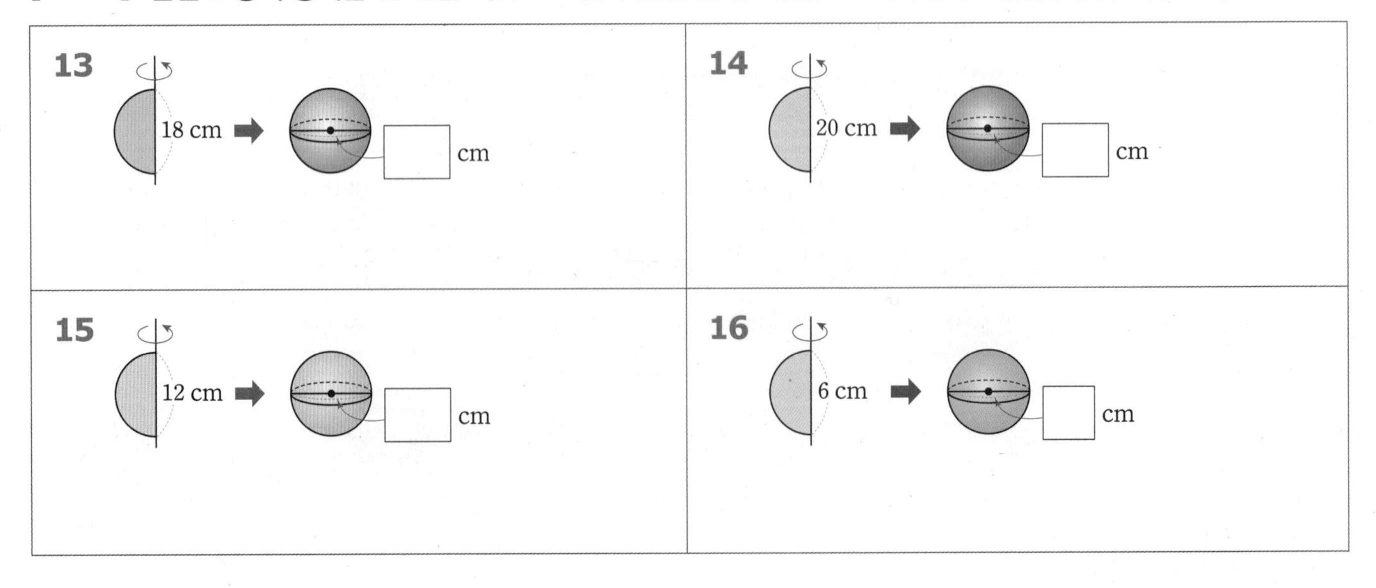

응용 연산

[17-18] 원뿔에서 무엇을 재는 방법인지 쓰시오.

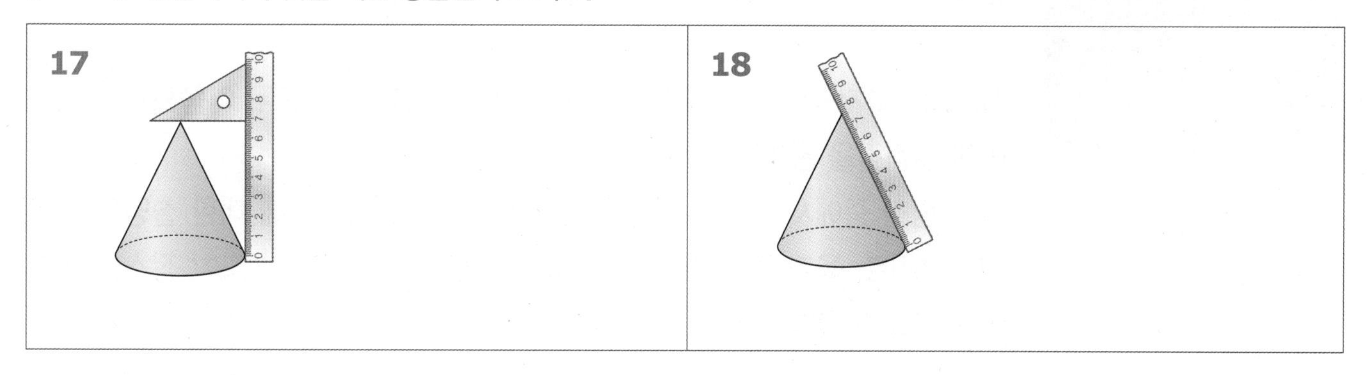

[19-20] 구의 반지름은 몇 cm인지 구하시오.

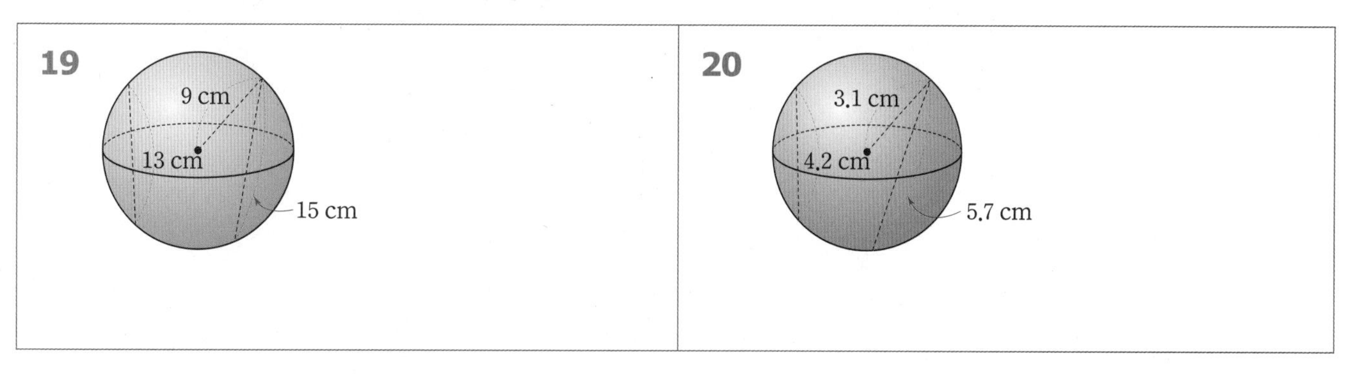

[21-22] 두 원뿔의 높이의 차는 몇 cm인지 구하시오.

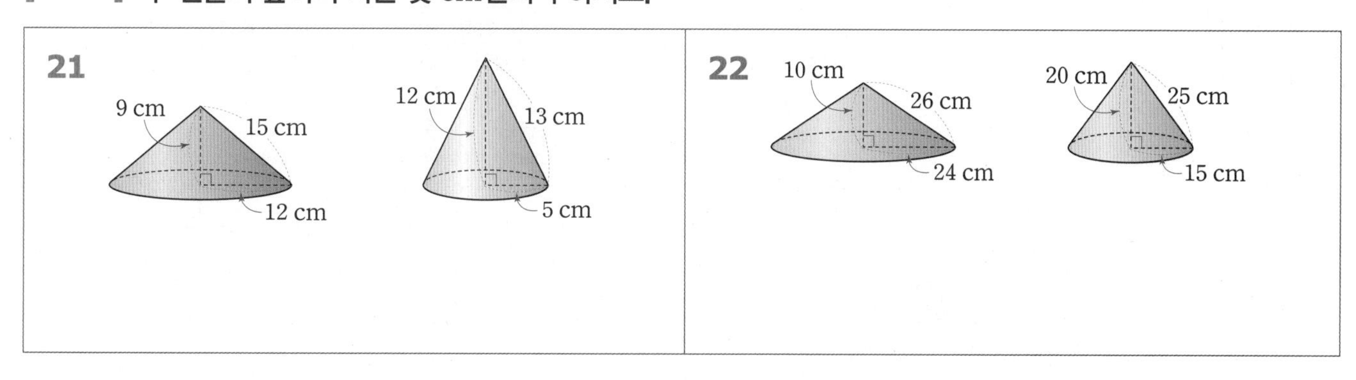

[23-24] 직각삼각형 모양의 종이를 한 변을 기준으로 돌려 만든 입체도형을 보고 □ 안에 알맞은 수를 써넣으시오.

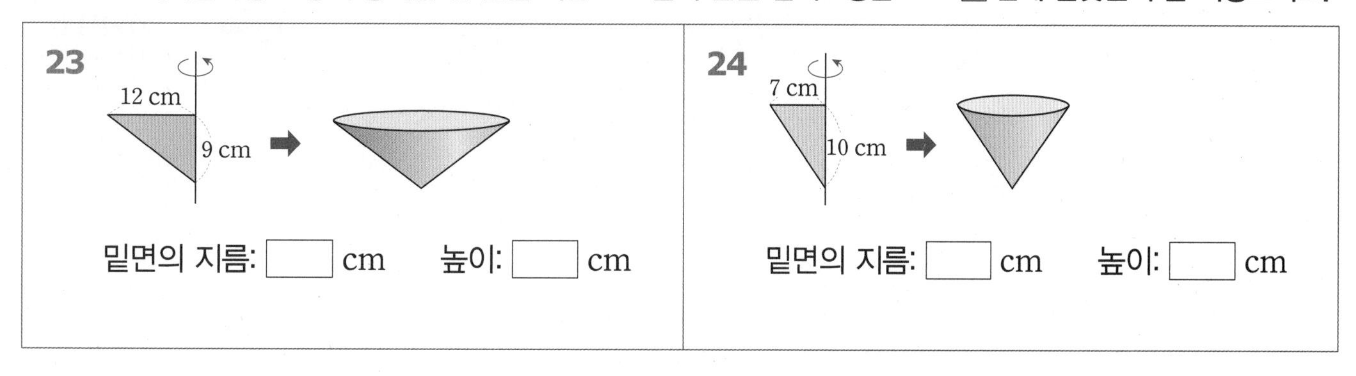

재미있게, 우리 연산하자!

지금까지 우리는 원기둥, 원뿔, 구를 배웠습니다.

힘들었을 텐데, 잘 풀었어요!

자, 그럼 마지막으로 지금까지 배운 원기둥, 원뿔, 구를 모두 이용해서 아래 갈림길을 통과해 볼까요?

두 갈림길 중에서 원기둥, 원뿔, 구의 같은 점과 다른 점에 대한 설명이 옳은 것은 [예]로, 옳지 않은 것은 [아니요]로 이동할 때, 마지막 도착 장소는 어디인지 구해 봅시다.

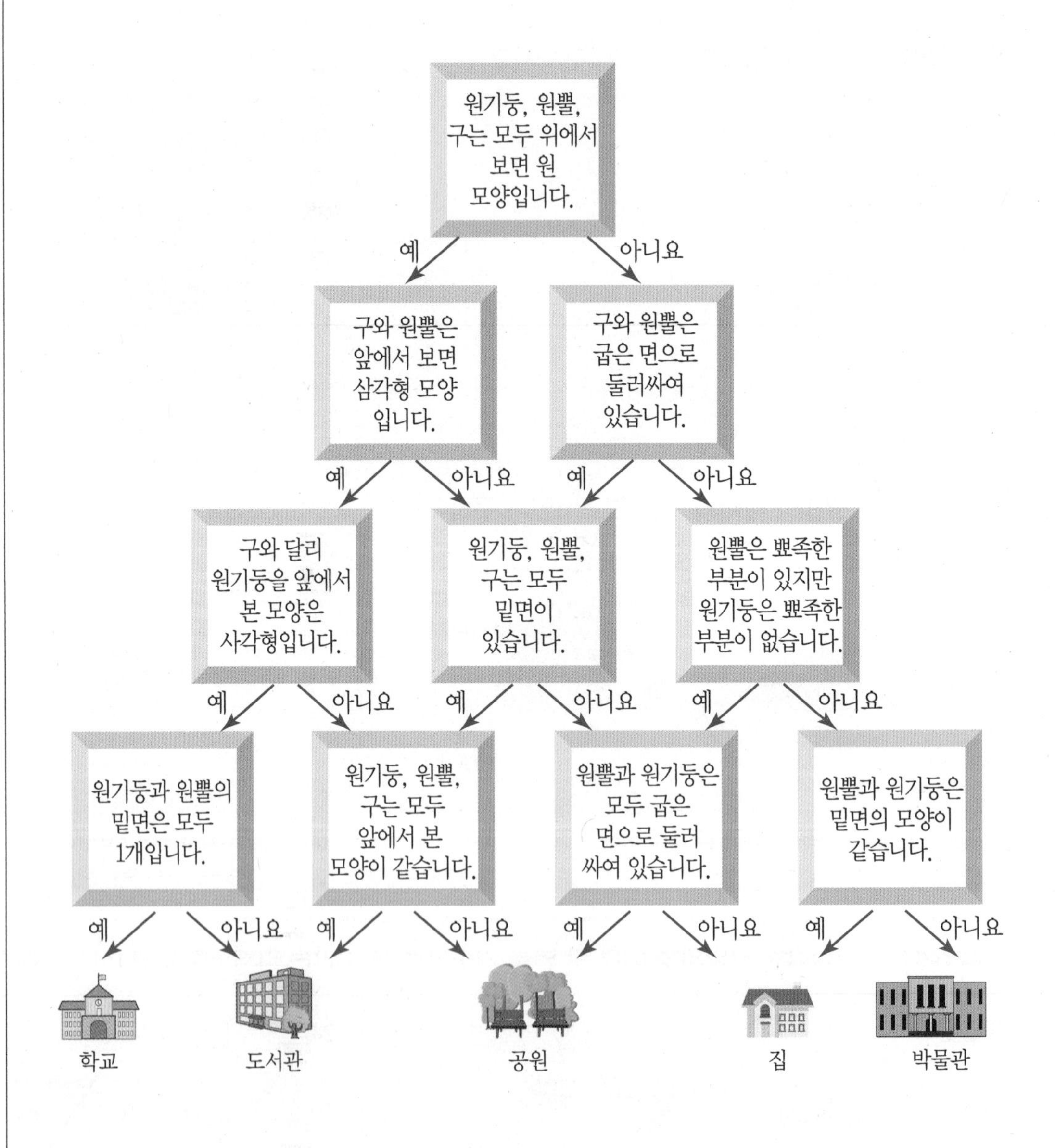

풍산자 라인업

초등 풍산자로 개념을 적용하고 응용하여 연산, 유형, 서술형을 풀면 실력이 탄탄해집니다

처음 배우는 수학을 쉽게 접근하는 초등 풍산자 로드맵

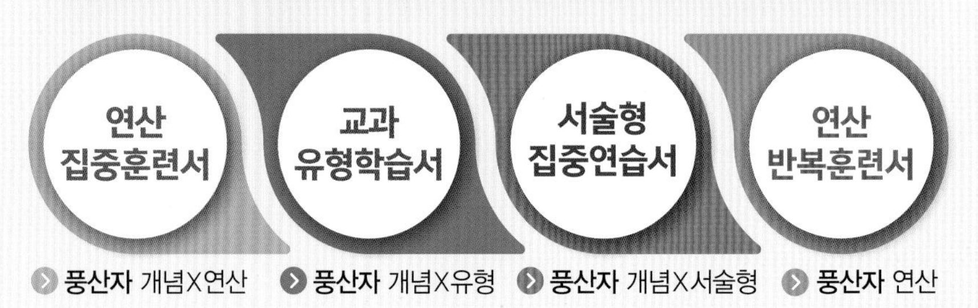

풍산자 개념X연산 · 풍산자 개념X유형 · 풍산자 개념X서술형 · 풍산자 연산

초등 풍산자 교재	하	중하	중	상
연산 집중훈련서 풍산자 개념X연산	개념 적용 연산 학습, 기초 실력 완성			
교과 유형학습서 풍산자 개념X유형		개념 응용 유형 학습, 기본 실력 완성		
서술형 집중연습서 풍산자 개념X서술형		개념 활용 서술형 연습, 문제 해결력 완성		
출시 예정 연산 반복훈련서 풍산자 연산	연산만 집중적으로 반복 학습			

풍산자

개념 × 연산

정답과 풀이

초등 수학 6-2

지학사

교과서 속 **연산**을 빠르게!

풍산자

개념 × 연산

정답과 풀이

초등 **수학** 6-2

1 ::: 분수의 나눗셈

01 분모가 같은 (분수)÷(분수)

p. 07~09

> 예제 따라 풀어보는 연산

01 3	**02** 5	**03** 3
04 5	**05** 2	**06** 2
07 $\frac{9}{5}$	**08** $\frac{11}{7}$	**09** $\frac{3}{2}$
10 $\frac{5}{2}$	**11** $\frac{5}{3}$	**12** $\frac{11}{9}$

> 스스로 풀어보는 연산

13 3	**14** 2	**15** 4
16 2	**17** 3	**18** 7
19 4	**20** $\frac{10}{3}$	**21** $\frac{7}{2}$
22 $\frac{7}{5}$	**23** $\frac{6}{5}$	**24** $\frac{3}{7}$
25 $\frac{9}{2}$	**26** $\frac{3}{2}$	

> 응용 연산

27 6, 6	**28** 7, 7	**29** 4
30 $\frac{8}{7}$	**31** 풀이 참조	**32** 풀이 참조
33 >	**34** =	

07 답 $\frac{9}{5}$

$\frac{9}{16} \div \frac{5}{16} = 9 \div 5 = \frac{9}{5}$

08 답 $\frac{11}{7}$

$\frac{11}{15} \div \frac{7}{15} = 11 \div 7 = \frac{11}{7}$

09 답 $\frac{3}{2}$

$\frac{3}{5} \div \frac{2}{5} = 3 \div 2 = \frac{3}{2}$

10 답 $\frac{5}{2}$

$\frac{5}{7} \div \frac{2}{7} = 5 \div 2 = \frac{5}{2}$

11 답 $\frac{5}{3}$

$\frac{5}{8} \div \frac{3}{8} = 5 \div 3 = \frac{5}{3}$

12 답 $\frac{11}{9}$

$\frac{11}{13} \div \frac{9}{13} = 11 \div 9 = \frac{11}{9}$

13 답 3

$\frac{3}{4} \div \frac{1}{4} = 3 \div 1 = 3$

14 답 2

$\frac{6}{7} \div \frac{3}{7} = 6 \div 3 = 2$

15 답 4

$\frac{4}{5} \div \frac{1}{5} = 4 \div 1 = 4$

16 답 2

$\frac{10}{11} \div \frac{5}{11} = 10 \div 5 = 2$

17 답 3

$\frac{3}{5} \div \frac{1}{5} = 3 \div 1 = 3$

18 답 7

$\frac{14}{15} \div \frac{2}{15} = 14 \div 2 = 7$

19 답 4

$\frac{8}{9} \div \frac{2}{9} = 8 \div 2 = 4$

20 답 $\frac{10}{3}$

$\frac{10}{11} \div \frac{3}{11} = 10 \div 3 = \frac{10}{3}$

21 답 $\frac{7}{2}$

$\frac{7}{15} \div \frac{2}{15} = 7 \div 2 = \frac{7}{2}$

22 답 $\frac{7}{5}$

$\frac{7}{9} \div \frac{5}{9} = 7 \div 5 = \frac{7}{5}$

23 답 $\frac{6}{5}$

$\frac{6}{7} \div \frac{5}{7} = 6 \div 5 = \frac{6}{5}$

24 답 $\frac{3}{7}$

$\frac{3}{4} \div \frac{7}{4} = 3 \div 7 = \frac{3}{7}$

25 답 $\frac{9}{2}$

$\frac{9}{11} \div \frac{2}{11} = 9 \div 2 = \frac{9}{2}$

26 답 $\frac{3}{2}$

$\frac{3}{17} \div \frac{2}{17} = 3 \div 2 = \frac{3}{2}$

27 답 6, 6

$\frac{6}{7}$ m를 $\frac{1}{7}$ m씩 자르면 6도막이 됩니다.

$\frac{6}{7}$은 $\frac{1}{7}$이 6개이므로 $\frac{6}{7} \div \frac{1}{7} = 6 \div 1 = 6$입니다.

28 답 7, 7

$\frac{7}{11}$ m를 $\frac{1}{11}$m씩 자르면 7도막이 됩니다.

$\frac{7}{11}$은 $\frac{1}{11}$이 7개이므로 $\frac{7}{11} \div \frac{1}{11} = 7 \div 1 = 7$입니다.

29 답 4

$\frac{12}{13} \div \frac{3}{13} = 12 \div 3 = 4$

30 답 $\frac{8}{7}$

$\frac{8}{9} \div \frac{7}{9} = 8 \div 7 = \frac{8}{7}$

31 답

$\frac{8}{9} \div \frac{1}{9} = 8 \div 1 = 8$

$\frac{5}{13} \div \frac{2}{13} = 5 \div 2 = \frac{5}{2}$

$\frac{7}{10} \div \frac{3}{10} = 7 \div 3 = \frac{7}{3}$

32 답

$\frac{9}{11} \div \frac{4}{11} = 9 \div 4 = \frac{9}{4}$

$\frac{10}{11} \div \frac{5}{11} = 10 \div 5 = 2$

$\frac{10}{11} \div \frac{7}{11} = 10 \div 7 = \frac{10}{7}$

33 답 $>$

$\frac{6}{11} \div \frac{2}{11} = 6 \div 2 = 3$

$\frac{6}{19} \div \frac{3}{19} = 6 \div 3 = 2$

따라서 ○ 안에 알맞은 것은 $>$입니다.

34 답 $=$

$\frac{3}{7} \div \frac{2}{7} = 3 \div 2 = \frac{3}{2}$

$\frac{3}{13} \div \frac{2}{13} = 3 \div 2 = \frac{3}{2}$

따라서 ○ 안에 알맞은 것은 $=$입니다.

02 분모가 다른 (분수)÷(분수)

p. 11~13

> 예제 따라 풀어보는 연산

01 8	02 9	03 2
04 3	05 3	06 6
07 $\frac{9}{8}$	08 $\frac{12}{7}$	09 $\frac{3}{4}$
10 $\frac{16}{9}$	11 $\frac{24}{25}$	12 $\frac{5}{12}$

> 스스로 풀어보는 연산

13 9	14 6	15 3
16 3	17 2	18 $\frac{7}{3}$
19 $\frac{7}{4}$	20 $\frac{9}{14}$	21 $\frac{20}{33}$
22 $\frac{27}{11}$	23 $\frac{14}{15}$	24 $\frac{5}{6}$
25 $\frac{21}{8}$	26 $\frac{14}{15}$	

> 응용 연산

27 8	28 $\frac{36}{25}$	29 풀이 참조
30 풀이 참조	31 ㉢	32 ㉡
33 $>$	34 $<$	

01 답 8

$\frac{4}{15} \div \frac{1}{30} = \frac{8}{30} \div \frac{1}{30} = 8 \div 1 = 8$

02 답 9

$\frac{3}{5} \div \frac{1}{15} = \frac{9}{15} \div \frac{1}{15} = 9 \div 1 = 9$

03 답 2

$\frac{3}{7} \div \frac{3}{14} = \frac{6}{14} \div \frac{3}{14} = 6 \div 3 = 2$

04 답 3

$\frac{2}{13} \div \frac{2}{39} = \frac{6}{39} \div \frac{2}{39} = 6 \div 2 = 3$

05 답 3

$\frac{5}{6} \div \frac{5}{18} = \frac{15}{18} \div \frac{5}{18} = 15 \div 5 = 3$

06 답 6

$\frac{9}{10} \div \frac{3}{20} = \frac{18}{20} \div \frac{3}{20} = 18 \div 3 = 6$

07 답 $\frac{9}{8}$

$\frac{1}{4} \div \frac{2}{9} = \frac{9}{36} \div \frac{8}{36} = 9 \div 8 = \frac{9}{8}$

08 답 $\frac{12}{7}$

$\frac{3}{7} \div \frac{1}{4} = \frac{12}{28} \div \frac{7}{28} = 12 \div 7 = \frac{12}{7}$

09 답 $\frac{3}{4}$

$\frac{1}{2} \div \frac{2}{3} = \frac{3}{6} \div \frac{4}{6} = 3 \div 4 = \frac{3}{4}$

10 답 $\frac{16}{9}$

$\frac{4}{9} \div \frac{1}{4} = \frac{16}{36} \div \frac{9}{36} = 16 \div 9 = \frac{16}{9}$

11 답 $\frac{24}{25}$

$\frac{4}{5} \div \frac{5}{6} = \frac{24}{30} \div \frac{25}{30} = 24 \div 25 = \frac{24}{25}$

12 답 $\frac{5}{12}$

$\frac{1}{3} \div \frac{4}{5} = \frac{5}{15} \div \frac{12}{15} = 5 \div 12 = \frac{5}{12}$

13 답 9

$\frac{3}{4} \div \frac{1}{12} = \frac{9}{12} \div \frac{1}{12} = 9 \div 1 = 9$

14 답 6

$\frac{1}{3} \div \frac{1}{18} = \frac{6}{18} \div \frac{1}{18} = 6 \div 1 = 6$

15 답 3

$\frac{1}{4} \div \frac{1}{12} = \frac{3}{12} \div \frac{1}{12} = 3 \div 1 = 3$

16 답 3

$\frac{2}{5} \div \frac{2}{15} = \frac{6}{15} \div \frac{2}{15} = 6 \div 2 = 3$

17 답 2

$\frac{3}{5} \div \frac{3}{10} = \frac{6}{10} \div \frac{3}{10} = 6 \div 3 = 2$

18 답 $\frac{7}{3}$

$\frac{1}{2} \div \frac{3}{14} = \frac{7}{14} \div \frac{3}{14} = 7 \div 3 = \frac{7}{3}$

19 답 $\frac{7}{4}$

$\frac{7}{10} \div \frac{2}{5} = \frac{7}{10} \div \frac{4}{10} = 7 \div 4 = \frac{7}{4}$

20 답 $\frac{9}{14}$

$\frac{3}{7} \div \frac{2}{3} = \frac{9}{21} \div \frac{14}{21} = 9 \div 14 = \frac{9}{14}$

21 답 $\frac{20}{33}$

$\frac{5}{11} \div \frac{3}{4} = \frac{20}{44} \div \frac{33}{44} = 20 \div 33 = \frac{20}{33}$

22 답 $\frac{27}{11}$

$\frac{9}{11} \div \frac{1}{3} = \frac{27}{33} \div \frac{11}{33} = 27 \div 11 = \frac{27}{11}$

23 답 $\frac{14}{15}$

$\frac{2}{5} \div \frac{3}{7} = \frac{14}{35} \div \frac{15}{35} = 14 \div 15 = \frac{14}{15}$

24 답 $\frac{5}{6}$

$\frac{1}{4} \div \frac{3}{10} = \frac{5}{20} \div \frac{6}{20} = 5 \div 6 = \frac{5}{6}$

25 답 $\frac{21}{8}$

$\frac{3}{4} \div \frac{2}{7} = \frac{21}{28} \div \frac{8}{28} = 21 \div 8 = \frac{21}{8}$

26 답 $\frac{14}{15}$

$\frac{2}{3} \div \frac{5}{7} = \frac{14}{21} \div \frac{15}{21} = 14 \div 15 = \frac{14}{15}$

27 답 8

$\frac{2}{7} \div \frac{5}{14} = \frac{4}{14} \div \frac{5}{14} = 4 \div 5 = \frac{4}{5}$

$\frac{4}{5} \div \frac{1}{10} = \frac{8}{10} \div \frac{1}{10} = 8 \div 1 = 8$

28 답 $\frac{36}{25}$

$\frac{4}{5} \div \frac{2}{3} = \frac{12}{15} \div \frac{10}{15} = 12 \div 10 = \frac{12}{10} = \frac{6}{5}$

$\frac{6}{5} \div \frac{5}{6} = \frac{36}{30} \div \frac{25}{30} = 36 \div 25 = \frac{36}{25}$

29 답

$\frac{1}{8} \div \frac{3}{4} = \frac{1}{8} \div \frac{6}{8} = 1 \div 6 = \frac{1}{6}$

$\frac{1}{5} \div \frac{5}{12} = \frac{12}{60} \div \frac{25}{60} = 12 \div 25 = \frac{12}{25}$

$\frac{1}{3} \div \frac{7}{12} = \frac{4}{12} \div \frac{7}{12} = 4 \div 7 = \frac{4}{7}$

30 답

$\frac{5}{6} \div \frac{7}{48} = \frac{40}{48} \div \frac{7}{48} = 40 \div 7 = \frac{40}{7}$

$\frac{4}{7} \div \frac{16}{49} = \frac{28}{49} \div \frac{16}{49} = 28 \div 16 = \frac{28}{16} = \frac{7}{4}$

$\frac{7}{9} \div \frac{11}{12} = \frac{28}{36} \div \frac{33}{36} = 28 \div 33 = \frac{28}{33}$

31 답 ㉢

㉠ $\frac{3}{10} \div \frac{3}{8} = \frac{12}{40} \div \frac{15}{40} = 12 \div 15 = \frac{12}{15} = \frac{4}{5}$

㉡ $\frac{5}{8} \div \frac{3}{4} = \frac{5}{8} \div \frac{6}{8} = 5 \div 6 = \frac{5}{6}$

㉢ $\frac{2}{5} \div \frac{2}{25} = \frac{10}{25} \div \frac{2}{25} = 10 \div 2 = 5$

따라서 계산 결과가 자연수인 것은 ㉢입니다.

32 답 ㉡

㉠ $\frac{2}{5} \div \frac{5}{6} = \frac{12}{30} \div \frac{25}{30} = 12 \div 25 = \frac{12}{25}$

㉡ $\frac{14}{15} \div \frac{7}{30} = \frac{28}{30} \div \frac{7}{30} = 28 \div 7 = 4$

㉢ $\frac{2}{7} \div \frac{5}{21} = \frac{6}{21} \div \frac{5}{21} = 6 \div 5 = \frac{6}{5}$

따라서 계산 결과가 자연수인 것은 ㉡입니다.

33 답 $>$

$\frac{5}{6} \div \frac{1}{2} = \frac{5}{6} \div \frac{3}{6} = 5 \div 3 = \frac{5}{3}$

$\frac{1}{3} \div \frac{1}{2} = \frac{2}{6} \div \frac{3}{6} = 2 \div 3 = \frac{2}{3}$

따라서 ○ 안에 알맞은 것은 $>$입니다.

34 답 $<$

$\frac{7}{15} \div \frac{7}{10} = \frac{14}{30} \div \frac{21}{30} = 14 \div 21 = \frac{14}{21} = \frac{2}{3}$

$\frac{5}{12} \div \frac{3}{8} = \frac{10}{24} \div \frac{9}{24} = 10 \div 9 = \frac{10}{9}$

따라서 ○ 안에 알맞은 것은 $<$입니다.

03 (자연수)÷(분수)

p. 15~17

> 예제 따라 풀어보는 연산

01 16	02 21	03 14
04 22	05 36	06 21
07 24	08 16	09 10
10 6	11 21	12 18

> 스스로 풀어보는 연산

13 15	14 14	15 14
16 15	17 9	18 9
19 99	20 10	21 27
22 14	23 20	24 18
25 22	26 16	

> 응용 연산

27 55	28 63	29 풀이 참조
30 풀이 참조	31 ㉡	32 ㉠
33 <	34 <	

01 답 16

$12\div\frac{3}{4}=(12\div3)\times4=4\times4=16$

02 답 21

$6\div\frac{2}{7}=(6\div2)\times7=3\times7=21$

03 답 14

$12\div\frac{6}{7}=(12\div6)\times7=2\times7=14$

04 답 22

$4\div\frac{2}{11}=(4\div2)\times11=2\times11=22$

05 답 36

$8\div\frac{2}{9}=(8\div2)\times9=4\times9=36$

06 답 21

$18\div\frac{6}{7}=(18\div6)\times7=3\times7=21$

07 답 24

$8\div\frac{1}{3}=\frac{24}{3}\div\frac{1}{3}=24\div1=24$

08 답 16

$6\div\frac{3}{8}=\frac{48}{8}\div\frac{3}{8}=48\div3=16$

09 답 10

$4\div\frac{2}{5}=\frac{20}{5}\div\frac{2}{5}=20\div2=10$

10 답 6

$5\div\frac{5}{6}=\frac{30}{6}\div\frac{5}{6}=30\div5=6$

11 답 21

$9\div\frac{3}{7}=\frac{63}{7}\div\frac{3}{7}=63\div3=21$

12 답 18

$4\div\frac{2}{9}=\frac{36}{9}\div\frac{2}{9}=36\div2=18$

13 답 15

$3\div\frac{1}{5}=(3\div1)\times5=3\times5=15$

14 답 14

$4\div\frac{2}{7}=(4\div2)\times7=2\times7=14$

15 답 14

$8\div\frac{4}{7}=(8\div4)\times7=2\times7=14$

16 답 15

$9\div\frac{3}{5}=(9\div3)\times5=3\times5=15$

17 답 9

$2\div\frac{2}{9}=(2\div2)\times9=1\times9=9$

18 답 9

$6\div\frac{2}{3}=(6\div2)\times3=3\times3=9$

19 답 99

$9\div\frac{1}{11}=(9\div1)\times11=9\times11=99$

20 답 10

$7\div\frac{7}{10}=(7\div7)\times10=1\times10=10$

21 답 27

$12\div\frac{4}{9}=(12\div4)\times9=3\times9=27$

22 답 14

$8\div\frac{4}{7}=(8\div4)\times7=2\times7=14$

23 답 20

$12\div\frac{3}{5}=(12\div3)\times5=4\times5=20$

24 답 18

$14\div\frac{7}{9}=(14\div7)\times9=2\times9=18$

25 답 22

$18\div\frac{9}{11}=(18\div9)\times11=2\times11=22$

26 답 16

$10\div\frac{5}{8}=(10\div5)\times8=2\times8=16$

27 답 55

$10\div\frac{2}{11}=(10\div2)\times11=5\times11=55$

28 답 63

$12\div\frac{4}{21}=(12\div4)\times21=3\times21=63$

29 답

$3\div\frac{1}{10}=(3\div1)\times10=3\times10=30$

$6\div\frac{3}{10}=(6\div3)\times10=2\times10=20$

$9\div\frac{9}{10}=(9\div9)\times10=1\times10=10$

30 답

$15\div\frac{5}{6}=(15\div5)\times6=3\times6=18$

$12\div\frac{4}{7}=(12\div4)\times7=3\times7=21$

$20\div\frac{4}{5}=(20\div4)\times5=5\times5=25$

31 답 ㉡

㉠ $14\div\frac{7}{8}=(14\div7)\times8=2\times8=16$

㉡ $6\div\frac{3}{4}=(6\div3)\times4=2\times4=8$

㉢ $14\div\frac{2}{5}=(14\div2)\times5=7\times5=35$

따라서 계산 결과가 가장 작은 것은 ㉡입니다.

32 답 ㉠

㉠ $10\div\frac{2}{3}=(10\div2)\times3=5\times3=15$

㉡ $12\div\frac{2}{9}=(12\div2)\times9=6\times9=54$

㉢ $16\div\frac{2}{7}=(16\div2)\times7=8\times7=56$

따라서 계산 결과가 가장 작은 것은 ㉠입니다.

33 답 $<$

$4\div\frac{1}{2}=(4\div1)\times2=4\times2=8$

$8\div\frac{2}{3}=(8\div2)\times3=4\times3=12$

따라서 ○ 안에 알맞은 것은 $<$ 입니다.

34 답 $<$

$14\div\frac{7}{13}=(14\div7)\times13=2\times13=26$

$15\div\frac{3}{8}=(15\div3)\times8=5\times8=40$

따라서 ○ 안에 알맞은 것은 $<$ 입니다.

04 (분수)÷(분수)

p. 19~21

> 예제 따라 풀어보는 연산

01 $\frac{12}{35}$ 02 $\frac{27}{32}$ 03 $\frac{91}{60}$
04 $\frac{65}{48}$ 05 $\frac{9}{2}$ 06 $\frac{30}{13}$
07 $\frac{8}{5}$ 08 6 09 $\frac{99}{14}$
10 $\frac{49}{15}$ 11 $\frac{15}{4}$ 12 $\frac{9}{5}$

> 스스로 풀어보는 연산

13 $\frac{65}{21}$ 14 $\frac{55}{48}$ 15 $\frac{4}{3}$
16 $\frac{5}{6}$ 17 $\frac{16}{5}$ 18 $\frac{54}{5}$
19 $\frac{13}{9}$ 20 $\frac{27}{5}$ 21 $\frac{34}{7}$
22 $\frac{25}{2}$ 23 34 24 $\frac{11}{6}$
25 2 26 $\frac{69}{14}$

> 응용 연산

27 1, 9, $1\frac{7}{9}$ 28 5, 20, $6\frac{2}{3}$
29 $\frac{10}{13}$ 30 $\frac{14}{5}$ 31 풀이 참조
32 풀이 참조 33 < 34 >

01 답 $\frac{12}{35}$

$\frac{2}{7}\div\frac{5}{6}=\frac{2}{7}\times\frac{6}{5}=\frac{12}{35}$

02 답 $\frac{27}{32}$

$\frac{3}{4}\div\frac{8}{9}=\frac{3}{4}\times\frac{9}{8}=\frac{27}{32}$

03 답 $\frac{91}{60}$

$\frac{13}{20}\div\frac{3}{7}=\frac{13}{20}\times\frac{7}{3}=\frac{91}{60}$

04 답 $\frac{65}{48}$

$\frac{5}{24}\div\frac{2}{13}=\frac{5}{24}\times\frac{13}{2}=\frac{65}{48}$

05 답 $\frac{9}{2}$

$\frac{7}{2}\div\frac{7}{9}=\frac{\overset{1}{\cancel{7}}}{2}\times\frac{9}{\underset{1}{\cancel{7}}}=\frac{9}{2}$

06 답 $\frac{30}{13}$

$\frac{5}{3}\div\frac{13}{18}=\frac{5}{\underset{1}{\cancel{3}}}\times\frac{\overset{6}{\cancel{18}}}{13}=\frac{30}{13}$

07 답 $\frac{8}{5}$

$\frac{11}{10}\div\frac{11}{16}=\frac{\overset{1}{\cancel{11}}}{\underset{5}{\cancel{10}}}\times\frac{\overset{8}{\cancel{16}}}{\underset{1}{\cancel{11}}}=\frac{8}{5}$

08 답 6

$\frac{10}{9}\div\frac{5}{27}=\frac{\overset{2}{\cancel{10}}}{\underset{1}{\cancel{9}}}\times\frac{\overset{3}{\cancel{27}}}{\underset{1}{\cancel{5}}}=6$

09 답 $\frac{99}{14}$

$1\frac{4}{7}\div\frac{2}{9}=\frac{11}{7}\div\frac{2}{9}=\frac{11}{7}\times\frac{9}{2}=\frac{99}{14}$

10 답 $\frac{49}{15}$

$2\frac{1}{3}\div\frac{5}{7}=\frac{7}{3}\div\frac{5}{7}=\frac{7}{3}\times\frac{7}{5}=\frac{49}{15}$

11 답 $\frac{15}{4}$

$2\frac{1}{2}\div\frac{2}{3}=\frac{5}{2}\div\frac{2}{3}=\frac{5}{2}\times\frac{3}{2}=\frac{15}{4}$

12 답 $\frac{9}{5}$

$1\frac{2}{5}\div\frac{7}{9}=\frac{7}{5}\div\frac{7}{9}=\frac{\overset{1}{\cancel{7}}}{5}\times\frac{9}{\underset{1}{\cancel{7}}}=\frac{9}{5}$

13 답 $\frac{65}{21}$

$\frac{5}{7}\div\frac{3}{13}=\frac{5}{7}\times\frac{13}{3}=\frac{65}{21}$

14 답 $\frac{55}{48}$

$\frac{5}{6} \div \frac{8}{11} = \frac{5}{6} \times \frac{11}{8} = \frac{55}{48}$

15 답 $\frac{4}{3}$

$\frac{20}{27} \div \frac{5}{9} = \frac{20}{27} \times \frac{9}{5} = \frac{4}{3}$

16 답 $\frac{5}{6}$

$\frac{5}{8} \div \frac{3}{4} = \frac{5}{8} \times \frac{4}{3} = \frac{5}{6}$

17 답 $\frac{16}{5}$

$2 \div \frac{5}{8} = 2 \times \frac{8}{5} = \frac{16}{5}$

18 답 $\frac{54}{5}$

$6 \div \frac{5}{9} = 6 \times \frac{9}{5} = \frac{54}{5}$

19 답 $\frac{13}{9}$

$\frac{13}{12} \div \frac{3}{4} = \frac{13}{12} \times \frac{4}{3} = \frac{13}{9}$

20 답 $\frac{27}{5}$

$\frac{6}{5} \div \frac{2}{9} = \frac{6}{5} \times \frac{9}{2} = \frac{27}{5}$

21 답 $\frac{34}{7}$

$\frac{17}{7} \div \frac{1}{2} = \frac{17}{7} \times 2 = \frac{34}{7}$

22 답 $\frac{25}{2}$

$\frac{25}{6} \div \frac{1}{3} = \frac{25}{6} \times 3 = \frac{25}{2}$

23 답 34

$3\frac{2}{5} \div \frac{1}{10} = \frac{17}{5} \times 10 = 34$

24 답 $\frac{11}{6}$

$1\frac{2}{9} \div \frac{2}{3} = \frac{11}{9} \times \frac{3}{2} = \frac{11}{6}$

25 답 2

$1\frac{1}{5} \div \frac{3}{5} = \frac{6}{5} \times \frac{5}{3} = 2$

26 답 $\frac{69}{14}$

$3\frac{5}{6} \div \frac{7}{9} = \frac{23}{6} \times \frac{9}{7} = \frac{69}{14}$

27 답 1, 9, $1\frac{7}{9}$

$\frac{8}{9} \div \frac{1}{2} = \frac{8}{9} \times \frac{2}{\boxed{1}} = \frac{16}{\boxed{9}} = \boxed{1\frac{7}{9}}$

28 답 5, 20, $6\frac{2}{3}$

$4 \div \frac{3}{5} = 4 \times \frac{\boxed{5}}{3} = \frac{\boxed{20}}{3} = \boxed{6\frac{2}{3}}$

29 답 $\frac{10}{13}$

$\frac{5}{7} \div \frac{13}{14} = \frac{5}{7} \times \frac{14}{13} = \frac{10}{13}$

30 답 $\frac{14}{5}$

$2\frac{1}{3} \div \frac{5}{6} = \frac{7}{3} \times \frac{6}{5} = \frac{14}{5}$

31 답

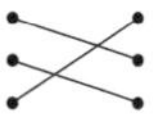

$\frac{7}{9} \div \frac{7}{12} = \frac{7}{9} \times \frac{12}{7} = \frac{4}{3}$

$\frac{13}{10} \div \frac{4}{5} = \frac{13}{10} \times \frac{5}{4} = \frac{13}{8}$

$1\frac{1}{12} \div \frac{3}{4} = \frac{13}{12} \times \frac{4}{3} = \frac{13}{9}$

32 답

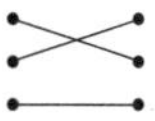

$1\frac{1}{5} \div \frac{3}{8} = \frac{6}{5} \times \frac{8}{3} = \frac{16}{5} = 3\frac{1}{5}$

$\frac{4}{7} \div \frac{5}{14} = \frac{4}{7} \times \frac{14}{5} = \frac{8}{5} = 1\frac{3}{5}$

$\frac{15}{11} \div \frac{15}{17} = \frac{15}{11} \times \frac{17}{15} = \frac{17}{11} = 1\frac{6}{11}$

33 답 <

$4\frac{1}{2} \div \frac{3}{4} = \frac{9}{2} \times \frac{4}{3} = 6$

$7 \div \frac{7}{8} = 7 \times \frac{8}{7} = 8$

따라서 ○ 안에 알맞은 것은 <입니다.

34 답 >

$9 \div \frac{9}{32} = 9 \times \frac{32}{9} = 32$

$2\frac{3}{5} \div \frac{13}{15} = \frac{13}{5} \times \frac{15}{13} = 3$

따라서 ○ 안에 알맞은 것은 >입니다.

p. 22

재미있게, 우리 연산하자!

사다리타기 결과는 다음과 같습니다.

$3 \div \frac{2}{5}$ ⇨ ㉠

$\frac{8}{9} \div \frac{4}{9}$ ⇨ ㉢

$\frac{2}{3} \div \frac{5}{7}$ ⇨ ㉡

$1\frac{3}{5} \div \frac{2}{3}$ ⇨ ㉣

㉠ $3 \div \frac{2}{5} = 3 \times \frac{5}{2} = \frac{15}{2}$

㉡ $\frac{2}{3} \div \frac{5}{7} = \frac{2}{3} \times \frac{7}{5} = \frac{14}{15}$

㉢ $\frac{8}{9} \div \frac{4}{9} = \frac{8}{9} \times \frac{9}{4} = 2$

㉣ $1\frac{3}{5} \div \frac{2}{3} = \frac{8}{5} \div \frac{2}{3} = \frac{8}{5} \times \frac{3}{2} = \frac{12}{5}$

답 ㉠ $\frac{15}{2}$ ㉡ $\frac{14}{15}$ ㉢ 2 ㉣ $\frac{12}{5}$

2 ::: 소수의 나눗셈

05 (소수)÷(소수) (1)

p. 25~27

> 예제 따라 풀어보는 연산

01 9 **02** 2 **03** 4
04 4 **05** 12 **06** 11
07 62 **08** 73 **09** 107
10 16 **11** 24 **12** 3

> 스스로 풀어보는 연산

13 7 **14** 9 **15** 3
16 6 **17** 6 **18** 29
19 72 **20** 21 **21** 8
22 12 **23** 11 **24** 19
25 3 **26** 17

> 응용 연산

27 108, 6, 108, 6, 18
28 55, 11, 55, 11, 5
29 9, 15 **30** 36, 26 **31** 19
32 25 **33** < **34** <

13 답 7

나누는 수와 나누어지는 수에 10을 곱하면
42÷6=7이므로 4.2÷0.6=7입니다.

14 답 9

나누는 수와 나누어지는 수에 10을 곱하면
36÷4=9이므로 3.6÷0.4=9입니다.

15 답 3

나누는 수와 나누어지는 수에 10을 곱하면
24÷8=3이므로 2.4÷0.8=3입니다.

16 답 6

나누는 수와 나누어지는 수에 10을 곱하면
$78 \div 13 = 6$이므로 $7.8 \div 1.3 = 6$입니다.

17 답 6

나누는 수와 나누어지는 수에 10을 곱하면
$72 \div 12 = 6$이므로 $7.2 \div 1.2 = 6$입니다.

18 답 29

나누는 수와 나누어지는 수에 10을 곱하면
$145 \div 5 = 29$이므로 $14.5 \div 0.5 = 29$입니다.

19 답 72

나누는 수와 나누어지는 수에 10을 곱하면
$504 \div 7 = 72$이므로 $50.4 \div 0.7 = 72$입니다.

20 답 21

나누는 수와 나누어지는 수에 100을 곱하면
$126 \div 6 = 21$이므로 $1.26 \div 0.06 = 21$입니다.

21 답 8

나누는 수와 나누어지는 수에 100을 곱하면
$184 \div 23 = 8$이므로 $1.84 \div 0.23 = 8$입니다.

22 답 12

나누는 수와 나누어지는 수에 100을 곱하면
$792 \div 66 = 12$이므로 $7.92 \div 0.66 = 12$입니다.

23 답 11

나누는 수와 나누어지는 수에 100을 곱하면
$902 \div 82 = 11$이므로 $9.02 \div 0.82 = 11$입니다.

24 답 19

나누는 수와 나누어지는 수에 100을 곱하면
$608 \div 32 = 19$이므로 $6.08 \div 0.32 = 19$입니다.

25 답 3

나누는 수와 나누어지는 수에 100을 곱하면
$108 \div 36 = 3$이므로 $1.08 \div 0.36 = 3$입니다.

26 답 17

나누는 수와 나누어지는 수에 100을 곱하면
$935 \div 55 = 17$이므로 $9.35 \div 0.55 = 17$입니다.

27 답 108, 6, 108, 6, 18

10.8 cm=108 mm, 0.6 cm=6 mm입니다.
따라서 $10.8 \div 0.6 = 108 \div 6 = 18$입니다.

28 답 55, 11, 55, 11, 5

5.5 cm=55 mm, 1.1 cm=11 mm입니다.
따라서 $5.5 \div 1.1 = 55 \div 11 = 5$입니다.

29 답 9, 15

$1.35 \div 0.09 = 135 \div 9 = 15$

30 답 36, 26

$9.36 \div 0.36 = 936 \div 36 = 26$

31 답 19

$51.3 \div 2.7 = 513 \div 27 = 19$

32 답 25

$8.25 \div 0.33 = 825 \div 33 = 25$

33 답 $<$

$1.12 \div 0.07 = 112 \div 7 = 16$
$1.84 \div 0.08 = 184 \div 8 = 23$
따라서 ○ 안에 알맞은 것은 $<$입니다.

34 답 $<$

$45.6 \div 0.4 = 456 \div 4 = 114$
$2.36 \div 0.02 = 236 \div 2 = 118$
따라서 ○ 안에 알맞은 것은 $<$입니다.

06 (소수)÷(소수) (2)

p. 29~31

> 예제 따라 풀어보는 연산

01 4	**02** 14	**03** 6
04 58	**05** 8	**06** 13
07 12	**08** 49	**09** 7
10 6	**11** 12	**12** 5

> 스스로 풀어보는 연산

13 127	**14** 41	**15** 61
16 13	**17** 15	**18** 23
19 18	**20** 78	**21** 18
22 11	**23** 9	**24** 7
25 13	**26** 12	**27** 7

> 응용 연산

28 풀이 참조	**29** 풀이 참조	**30** 5
31 11	**32** >	**33** =
34 ㉡, ㉢, ㉠	**35** ㉡, ㉠, ㉢	

01 답 4

$3.6 \div 0.9 = \frac{36}{10} \div \frac{9}{10} = 36 \div 9 = 4$

02 답 14

$5.6 \div 0.4 = \frac{56}{10} \div \frac{4}{10} = 56 \div 4 = 14$

03 답 6

$7.2 \div 1.2 = \frac{72}{10} \div \frac{12}{10} = 72 \div 12 = 6$

04 답 58

$1.74 \div 0.03 = \frac{174}{100} \div \frac{3}{100} = 174 \div 3 = 58$

05 답 8

$3.68 \div 0.46 = \frac{368}{100} \div \frac{46}{100} = 368 \div 46 = 8$

06 답 13

$7.15 \div 0.55 = \frac{715}{100} \div \frac{55}{100} = 715 \div 55 = 13$

07 답 12

```
        1 2
0.9 ) 1 0.8
        9
      1 8
      1 8
        0
```

08 답 49

```
        4 9
0.5 ) 2 4.5
      2 0
        4 5
        4 5
          0
```

09 답 7

```
        7
1.2 ) 8.4
      8 4
        0
```

10 답 6

```
             6
0.19 ) 1.1 4
       1 1 4
           0
```

11 답 12

```
           1 2
0.13 ) 1.5 6
       1 3
         2 6
         2 6
           0
```

12 답 5

```
             5
1.17 ) 5.8 5
       5 8 5
           0
```

13 답 127

$25.4 \div 0.2 = \frac{254}{10} \div \frac{2}{10} = 254 \div 2 = 127$

14 답 41

$12.3 \div 0.3 = \frac{123}{10} \div \frac{3}{10} = 123 \div 3 = 41$

15 답 61

$42.7 \div 0.7 = \frac{427}{10} \div \frac{7}{10} = 427 \div 7 = 61$

16 답 13

$2.99 \div 0.23 = \frac{299}{100} \div \frac{23}{100} = 299 \div 23 = 13$

17 답 15

$2.55 \div 0.17 = \frac{255}{100} \div \frac{17}{100} = 255 \div 17 = 15$

18 답 23

$3.45 \div 0.15 = \frac{345}{100} \div \frac{15}{100} = 345 \div 15 = 23$

19 답 18

$$\begin{array}{r} 18 \\ 0.7\overline{)12.6} \\ 7 \\ \hline 56 \\ 56 \\ \hline 0 \end{array}$$

20 답 78

$$\begin{array}{r} 78 \\ 0.3\overline{)23.4} \\ 21 \\ \hline 24 \\ 24 \\ \hline 0 \end{array}$$

21 답 18

$$\begin{array}{r} 18 \\ 1.4\overline{)25.2} \\ 14 \\ \hline 112 \\ 112 \\ \hline 0 \end{array}$$

22 답 11

$$\begin{array}{r} 11 \\ 1.9\overline{)20.9} \\ 19 \\ \hline 19 \\ 19 \\ \hline 0 \end{array}$$

23 답 9

$$\begin{array}{r} 9 \\ 0.14\overline{)1.26} \\ 126 \\ \hline 0 \end{array}$$

24 답 7

$$\begin{array}{r} 7 \\ 0.25\overline{)1.75} \\ 175 \\ \hline 0 \end{array}$$

25 답 13

$$\begin{array}{r} 13 \\ 0.15\overline{)1.95} \\ 15 \\ \hline 45 \\ 45 \\ \hline 0 \end{array}$$

26 답 12

$$\begin{array}{r} 12 \\ 0.66\overline{)7.92} \\ 66 \\ \hline 132 \\ 132 \\ \hline 0 \end{array}$$

27 답 7

$$\begin{array}{r} 7 \\ 0.45\overline{)3.15} \\ 315 \\ \hline 0 \end{array}$$

28 답 풀이 참조

[방법 1] $36.4 \div 1.4 = \frac{364}{10} \div \frac{14}{10} = 364 \div 14 = 26$

[방법 2]

$$\begin{array}{r} 26 \\ 1.4\overline{)36.4} \\ 28 \\ \hline 84 \\ 84 \\ \hline 0 \end{array}$$

29 답 풀이 참조

[방법 1] $4.92 \div 0.06 = \frac{492}{100} \div \frac{6}{100}$
$= 492 \div 6 = 82$

[방법 2]

$$\begin{array}{r} 82 \\ 0.06\overline{)4.92} \\ 48 \\ \hline 12 \\ 12 \\ \hline 0 \end{array}$$

30 답 5

$$\begin{array}{r} 5 \\ 3.3\overline{)16.5} \\ 165 \\ \hline 0 \end{array}$$

31 답 11

$$\begin{array}{r} 11 \\ 0.84\overline{)9.24} \\ 84 \\ \hline 84 \\ 84 \\ \hline 0 \end{array}$$

32 답 >

$$\begin{array}{r} 29 \\ 0.12\overline{)3.48} \\ 24 \\ \hline 108 \\ 108 \\ \hline 0 \end{array} \qquad \begin{array}{r} 2 \\ 5.2\overline{)10.4} \\ 104 \\ \hline 0 \end{array}$$

따라서 ○ 안에 알맞은 것은 >입니다.

33 답 =

$$\begin{array}{r} 3 \\ 0.46\overline{)1.38} \\ 138 \\ \hline 0 \end{array} \qquad \begin{array}{r} 3 \\ 0.78\overline{)2.34} \\ 234 \\ \hline 0 \end{array}$$

따라서 ○ 안에 알맞은 것은 =입니다.

34 답 ㉡, ㉢, ㉠

$$\begin{array}{r} 6 \\ 0.27\overline{)1.62} \\ 162 \\ \hline 0 \end{array} \qquad \begin{array}{r} 35 \\ 0.25\overline{)8.75} \\ 75 \\ \hline 125 \\ 125 \\ \hline 0 \end{array} \qquad \begin{array}{r} 13 \\ 1.9\overline{)24.7} \\ 19 \\ \hline 57 \\ 57 \\ \hline 0 \end{array}$$

따라서 몫이 큰 것부터 차례대로 기호를 쓰면 ㉡, ㉢, ㉠입니다.

35 답 ㉡, ㉠, ㉢

$$\begin{array}{r} 5 \\ 0.69\overline{)3.45} \\ 345 \\ \hline 0 \end{array} \qquad \begin{array}{r} 6 \\ 0.24\overline{)1.44} \\ 144 \\ \hline 0 \end{array} \qquad \begin{array}{r} 4 \\ 7.2\overline{)28.8} \\ 288 \\ \hline 0 \end{array}$$

따라서 몫이 큰 것부터 차례대로 기호를 쓰면 ㉡, ㉠, ㉢입니다.

07 (소수)÷(소수) (3)

p. 33~35

> 예제 따라 풀어보는 연산

01 3.7	**02** 2.3	**03** 1.3
04 1.9	**05** 1.8	**06** 1.7
07 6.4	**08** 3.2	**09** 2.2
10 1.7	**11** 3.8	**12** 2.4

> 스스로 풀어보는 연산

13 2.4	**14** 1.1	**15** 1.9
16 1.7	**17** 1.8	**18** 1.9
19 5.2	**20** 5.1	**21** 0.5
22 0.8	**23** 1.9	**24** 1.8
25 3.3	**26** 2.5	**27** 0.8

> 응용 연산

28 2.1	**29** 1.5	**30** 1.9
31 4.2	**32** 1.4	**33** 2.2
34 <	**35** >	

01 답 3.7

```
       3.7
1.4)5.1 8
    4 2
      9 8
      9 8
        0
```

02 답 2.3

```
       2.3
2.3)5.2 9
    4 6
      6 9
      6 9
        0
```

03 답 1.3

```
       1.3
1.1)1.4 3
    1 1
      3 3
      3 3
        0
```

04 답 1.9

```
       1.9
3.1)5.8 9
    3 1
    2 7 9
    2 7 9
        0
```

05 답 1.8

```
       1.8
4.2)7.5 6
    4 2
    3 3 6
    3 3 6
        0
```

06 답 1.7

```
       1.7
5.5)9.3 5
    5 5
    3 8 5
    3 8 5
        0
```

07 답 6.4

```
          6.4
0.40)2.5 6
     2 4 0
       1 6 0
       1 6 0
           0
```

08 답 3.2

```
          3.2
0.70)2.2 4
     2 1 0
       1 4 0
       1 4 0
           0
```

09 답 2.2

```
          2.2
2.30)5.0 6
     4 6 0
       4 6 0
       4 6 0
           0
```

10 답 1.7

```
          1.7
2.40)4.0 8
     2 4 0
     1 6 8 0
     1 6 8 0
           0
```

11 답 3.8

```
          3.8
1.90)7.2 2
     5 7 0
     1 5 2 0
     1 5 2 0
           0
```

12 답 2.4

```
          2.4
3.70)8.8 8
     7 4 0
     1 4 8 0
     1 4 8 0
           0
```

13 답 2.4

```
       2.4
0.8)1.9 2
    1 6
      3 2
      3 2
        0
```

14 답 1.1

```
       1.1
1.7)1.8 7
    1 7
      1 7
      1 7
        0
```

15 답 1.9

```
       1.9
5.2)9.8 8
    5 2
    4 6 8
    4 6 8
        0
```

16 답 1.7

```
       1.7
2.1)3.5 7
    2 1
    1 4 7
    1 4 7
        0
```

17 답 1.8

```
       1.8
2.2)3.9 6
    2 2
    1 7 6
    1 7 6
        0
```

18 답 1.9

```
       1.9
2.9)5.5 1
    2 9
    2 6 1
    2 6 1
        0
```

19 답 5.2

```
        5.2
0.60)3.12
     300
      120
      120
        0
```

20 답 5.1

```
        5.1
1.40)7.14
     700
      140
      140
        0
```

21 답 0.5

```
         0.5
5.50)2.75
     2750
        0
```

22 답 0.8

```
         0.8
1.70)1.36
     1360
        0
```

23 답 1.9

```
         1.9
4.30)8.17
     430
     3870
     3870
        0
```

24 답 1.8

```
        1.8
0.90)1.62
      90
      720
      720
        0
```

25 답 3.3

```
        3.3
2.40)7.92
     720
      720
      720
        0
```

26 답 2.5

```
         2.5
3.70)9.25
     740
     1850
     1850
        0
```

27 답 0.8

```
         0.8
1.80)1.44
     1440
        0
```

28 답 2.1

```
        2.1
2.30)4.83
     460
      230
      230
        0
```

따라서 □ 안에 알맞은 수는 2.1입니다.

29 답 1.5

```
         1.5
3.50)5.25
     350
     1750
     1750
        0
```

따라서 □ 안에 알맞은 수는 1.5입니다.

30 답 1.9

```
         1.9
4.20)7.98
     420
     3780
     3780
        0
```

31 답 4.2

```
          4.2
3.90)16.38
     1560
       780
       780
         0
```

32 답 1.4

```
        1.4
1.60)2.24
     160
      640
      640
        0
```

따라서 □ 안에 알맞은 수는 1.4입니다.

33 답 2.2

```
        2.2
1.40)3.08
     280
      280
      280
        0
```

따라서 □ 안에 알맞은 수는 2.2입니다.

34 답 <

```
          3.1                 3.2
3.30)10.23          2.90)9.28
      990                870
       330                580
       330                580
         0                  0
```

따라서 ○ 안에 알맞은 것은 < 입니다.

35 답 >

```
         2.8                 2.7
2.60)7.28           3.10)8.37
     520                 620
     2080                2170
     2080                2170
        0                   0
```

따라서 ○ 안에 알맞은 것은 > 입니다.

08 (자연수)÷(소수)

p. 37~39

> 예제 따라 풀어보는 연산

01 70	**02** 15	**03** 40
04 4	**05** 75	**06** 4
07 35	**08** 20	**09** 15
10 80	**11** 25	**12** 4

> 스스로 풀어보는 연산

13 20	**14** 30	**15** 30
16 15	**17** 40	**18** 80
19 20	**20** 25	**21** 125
22 8	**23** 25	**24** 32
25 100	**26** 580	

> 응용 연산

27 25, 250, 2500		**28** 28, 2.8, 28
29 5	**30** 12	**31** 25
32 16	**33** $<$	**34** $>$

01 답 70

$63\div0.9=\frac{630}{10}\div\frac{9}{10}=630\div9=70$

02 답 15

$39\div2.6=\frac{390}{10}\div\frac{26}{10}=390\div26=15$

03 답 40

$44\div1.1=\frac{440}{10}\div\frac{11}{10}=440\div11=40$

04 답 4

$3\div0.75=\frac{300}{100}\div\frac{75}{100}=300\div75=4$

05 답 75

$6\div0.08=\frac{600}{100}\div\frac{8}{100}=600\div8=75$

06 답 4

$5\div1.25=\frac{500}{100}\div\frac{125}{100}=500\div125=4$

07 답 35

35
1.6)56.0
48
80
80
0

08 답 20

20
3.1)62.0
62
0

09 답 15

15
2.2)33.0
22
110
110
0

10 답 80

80
0.05)4.00
40
0

11 답 25

25
0.32)8.00
64
160
160
0

12 답 4

4
1.75)7.00
700
0

13 답 20

20
2.7)54.0
54
0

14 답 30

30
2.3)69.0
69
0

15 답 30

30
0.6)18.0
18
0

16 답 15

15
1.8)27.0
18
90
90
0

17 답 40

40
2.3)92.0
92
0

18 답 80

80
0.8)64.0
64
0

19 답 20

```
      2 0
3.6)7 2.0
    7 2
      0
```

20 답 25

```
      2 5
1.4)3 5.0
    2 8
      7 0
      7 0
        0
```

21 답 125

```
        1 2 5
0.04)5.0 0
     4
     1 0
       8
       2 0
       2 0
         0
```

22 답 8

```
            8
0.25)2.0 0
     2 0 0
         0
```

23 답 25

```
         2 5
0.12)3.0 0
     2 4
       6 0
       6 0
         0
```

24 답 32

```
         3 2
0.25)8.0 0
     7 5
       5 0
       5 0
         0
```

25 답 100

```
         1 0 0
2.75)2 7 5.0 0
     2 7 5
             0
```

26 답 580

```
           5 8 0
1.05)6 0 9.0 0
     5 2 5
       8 4 0
       8 4 0
             0
```

27 답 25, 250, 2500

100÷4=25

100÷0.4=250

100÷0.04=2500

28 답 28, 2.8, 28

224÷8=28

2.24÷0.8=2.8

2.24÷0.08=28

29 답 5

```
          5
3.4)1 7.0
    1 7 0
        0
```

따라서 □ 안에 알맞은 수는 5입니다.

30 답 12

```
      1 2
4.5)5 4.0
    4 5
      9 0
      9 0
        0
```

따라서 □ 안에 알맞은 수는 12입니다.

31 답 25

```
      2 5
1.6)4 0.0
    3 2
      8 0
      8 0
        0
```

따라서 □ 안에 알맞은 수는 25입니다.

32 답 16

```
           1 6
3.25)5 2.0 0
     3 2 5
     1 9 5 0
     1 9 5 0
           0
```

따라서 □ 안에 알맞은 수는 16입니다.

33 답 <

```
         1 6                 2 8
10.5)1 6 8.0        6.5)1 8 2.0
     1 0 5              1 3 0
       6 3 0              5 2 0
       6 3 0              5 2 0
           0                  0
```

따라서 ○ 안에 알맞은 것은 < 입니다.

34 답 >

```
        8 5                    7 5
3.6)3 0 6.0        0.12)9.0 0
    2 8 8               8 4 0
      1 8 0               6 0
      1 8 0               6 0
          0                 0
```

따라서 ○ 안에 알맞은 것은 > 입니다.

09 몫의 반올림과 나누어 주고 남는 양

p. 41~43

> 예제 따라 풀어보는 연산

01 1, 1.2, 1.22 **02** 1, 1.7, 1.71
03 1, 1.2, 1.15 **04** 2, 2.5, 2.47
05 2, 1.6, 1.56 **06** 4, 4.3, 4.32
07 2, 2.9 **08** 3, 1.4
09 6, 0.3 **10** 2, 6.8

> 스스로 풀어보는 연산

11 2, 2.1, 2.14 **12** 3, 3.3, 3.33
13 9, 9.4, 9.44 **14** 4, 3.6, 3.62
15 5, 4.9, 4.95 **16** 6, 6.2, 6.16
17 4, 1.6 **18** 4, 0.8
19 3, 0.6 **20** 2, 3.9
21 6, 4.5 **22** 2, 5.8

> 응용 연산

23 0.461, 0.46 **24** 0.375, 0.38
25 ㉠, ㉡, ㉢ **26** ㉢, ㉠, ㉡
27 $<$ **28** $>$
29 185개, 2.1 m **30** 202개, 1.2 m

01 답 1, 1.2, 1.22
11÷9=1.2222……

02 답 1, 1.7, 1.71
12÷7=1.7142……

03 답 1, 1.2, 1.15
1.5÷1.3=1.1538……

04 답 2, 2.5, 2.47
4.2÷1.7=2.4705……

05 답 2, 1.6, 1.56
1.4÷0.9=1.5555……

06 답 4, 4.3, 4.32
2.59÷0.6=4.3166……

07 답 2, 2.9

```
    2
3)8.9
  6
  2.9
```

주스 8.9 L를 3 L씩 2명에게 나누어 줄 수 있고 남는 주스의 양은 2.9 L입니다.

08 답 3, 1.4

```
     3
4)1 3.4
  1 2
    1.4
```

물 13.4 L를 4 L씩 3명에게 나누어 줄 수 있고 남는 물의 양은 1.4 L입니다.

09 답 6, 0.3

```
     6
3)1 8.3
  1 8
    0.3
```

리본 18.3 m를 3 m씩 6명에게 나누어 줄 수 있고 남는 리본의 길이는 0.3 m입니다.

10 답 2, 6.8

```
     2
9)2 4.8
  1 8
    6.8
```

페인트 24.8 L를 9 L씩 2명에게 나누어 줄 수 있고 남는 페인트의 양은 6.8 L입니다.

11 답 2, 2.1, 2.14
15÷7=2.1428……

12 답 3, 3.3, 3.33
10÷3=3.3333……

13 답 9, 9.4, 9.44
8.5÷0.9=9.4444……

14 답 4, 3.6, 3.62
4.7÷1.3=3.6153……

15 답 5, 4.9, 4.95
27.7÷5.6=4.9464……

16 답 6, 6.2, 6.16
55.4÷9=6.1555……

17 답 4, 1.6

$$\begin{array}{r} 4 \\ 3\overline{)13.6} \\ 12 \\ \hline 1.6 \end{array}$$

리본 13.6 m를 3 m씩 4명에게 나누어 줄 수 있고 남는 리본의 길이는 1.6 m입니다.

18 답 4, 0.8

$$\begin{array}{r} 4 \\ 6\overline{)24.8} \\ 24 \\ \hline 0.8 \end{array}$$

리본 24.8 m를 6 m씩 4명에게 나누어 줄 수 있고 남는 리본의 길이는 0.8 m입니다.

19 답 3, 0.6

$$\begin{array}{r} 3 \\ 5\overline{)15.6} \\ 15 \\ \hline 0.6 \end{array}$$

리본 15.6 m를 5 m씩 3명에게 나누어 줄 수 있고 남는 리본의 길이는 0.6 m입니다.

20 답 2, 3.9

$$\begin{array}{r} 2 \\ 8\overline{)19.9} \\ 16 \\ \hline 3.9 \end{array}$$

리본 19.9 m를 8 m씩 2명에게 나누어 줄 수 있고 남는 리본의 길이는 3.9 m입니다.

21 답 6, 4.5

$$\begin{array}{r} 6 \\ 5\overline{)34.5} \\ 30 \\ \hline 4.5 \end{array}$$

리본 34.5 m를 5 m씩 6명에게 나누어 줄 수 있고 남는 리본의 길이는 4.5 m입니다.

22 답 2, 5.8

$$\begin{array}{r} 2 \\ 6\overline{)17.8} \\ 12 \\ \hline 5.8 \end{array}$$

리본 17.8 m를 6 m씩 2명에게 나누어 줄 수 있고 남는 리본의 길이는 5.8 m입니다.

23 답 0.461, 0.46

6÷13=0.4615……

몫을 소수 셋째 자리까지 계산하면 0.461이고, 반올림하여 소수 둘째 자리까지 나타내면 0.46입니다.

24 답 0.375, 0.38

2.63÷7=0.3757……

몫을 소수 셋째 자리까지 계산하면 0.375이고, 반올림하여 소수 둘째 자리까지 나타내면 0.38입니다.

25 답 ㉠, ㉡, ㉢

몫을 반올림하여 소수 둘째 자리까지 나타낸 수는 다음과 같습니다.

㉠ 5.2÷0.7=7.4285…… ⇨ 7.43

㉡ 6.5÷1.6=4.0625 ⇨ 4.06

㉢ 3.8÷9=0.4222…… ⇨ 0.42

따라서 몫을 반올림하여 소수 둘째 자리까지 나타낸 수가 큰 것부터 차례대로 기호를 쓰면 ㉠, ㉡, ㉢입니다.

26 답 ㉢, ㉠, ㉡

몫을 반올림하여 소수 둘째 자리까지 나타낸 수는 다음과 같습니다.

㉠ 13.7÷4.6=2.9782…… ⇨ 2.98

㉡ 18.4÷7=2.6285…… ⇨ 2.63

㉢ 6.3÷1.9=3.3157…… ⇨ 3.32

따라서 몫을 반올림하여 소수 둘째 자리까지 나타낸 수가 큰 것부터 차례대로 기호를 쓰면 ㉢, ㉠, ㉡입니다.

27 답 <

6.234÷2=3.117

6.234÷2의 몫을 반올림하여 자연수로 나타낸 수 ⇨ 3

따라서 ○ 안에 알맞은 것은 <입니다.

28 답 >

14.75÷3=4.9166……

14.75÷3의 몫을 반올림하여 자연수로 나타낸 수 ⇨ 5

따라서 ○ 안에 알맞은 것은 >입니다.

29 답 185개, 2.1 m

```
     1 8 5
3)5 5 7.1
   3
   2 5
   2 4
     1 7
     1 5
       2.1
```

길이가 557.1 m인 리본으로 선물을 185개까지 포장할 수 있고, 남는 리본의 길이는 2.1 m입니다.

30 답 202개, 1.2 m

```
     2 0 2
4)8 0 9.2
   8
       9
       8
       1.2
```

길이가 809.2 m인 끈으로 상자를 202개까지 묶을 수 있고, 남는 끈의 길이는 1.2 m입니다.

p. 44

재미있게, 우리 연산하자!

$4.8 \div 0.4 = 12$이므로 ❶은 12입니다.

❶$\div 0.25 = 12 \div 0.25 = 48$이므로 ❷는 48입니다.

❷의 $\frac{1}{100}$배, 즉 48의 $\frac{1}{100}$배는 0.48이므로 ❸은 0.48입니다.

❸$\times 2 = 0.48 \times 2 = 0.96$이므로 ❹는 0.96입니다.

❹$\div 0.6 = 0.96 \div 0.6 = 1.6$이므로 ❺는 1.6입니다.

❺$+ 0.15 = 1.6 + 0.15 = 1.75$이므로 ❻은 1.75입니다.

❻$\div 3.5 = 1.75 \div 3.5 = 0.5$이므로 ❼은 0.5입니다.

❼$\div 0.125 = 0.5 \div 0.125 = 4$이므로 ❽은 4입니다.

❽의 20배, 즉 4의 20배는 80이므로 ❾는 80입니다.

❾$\div 1.6 = 80 \div 1.6 = 50$

따라서 ❿에 해당하는 수는 50입니다.

답 50

3 ::: 공간과 입체

10 위, 앞, 옆에서 본 모양

p. 47~49

> 예제 따라 풀어보는 연산

01 풀이 참조 02 풀이 참조 03 풀이 참조
04 풀이 참조 05 8개 06 6개
07 6개 08 8개

> 스스로 풀어보는 연산

09 풀이 참조 10 풀이 참조 11 풀이 참조
12 풀이 참조 13 5개 14 7개
15 7개 16 8개

> 응용 연산

17 풀이 참조 18 풀이 참조 19 위
20 옆 21 ㉠ 22 ㉡

01 답 풀이 참조

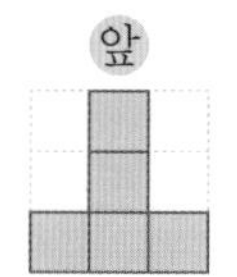

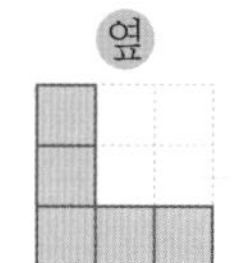

02 답 풀이 참조

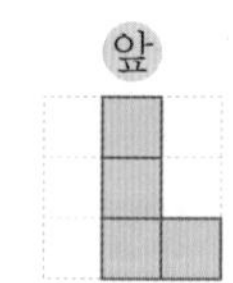

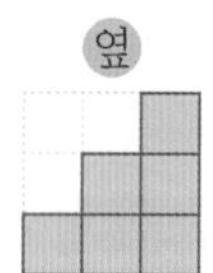

03 답 풀이 참조

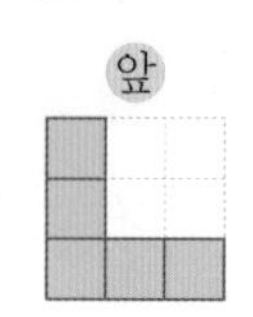

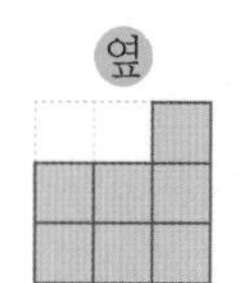

04 답 풀이 참조

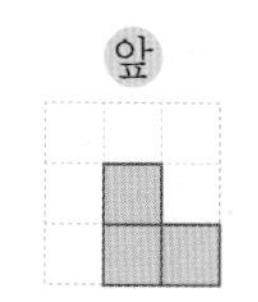

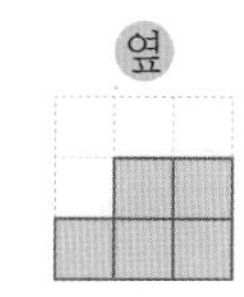

05 답 8개

앞에서 본 모양을 보면 ○ 부분은 쌓기나무가 각각 1개이고, △ 부분은 3개, □ 부분은 2개입니다. 따라서 똑같은 모양으로 쌓는 데 필요한 쌓기나무는 8개입니다.

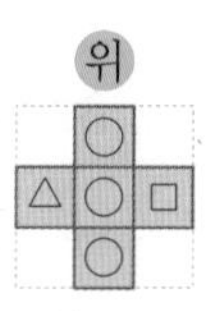

06 답 6개

앞에서 본 모양을 보면 ◇ 부분은 쌓기나무가 1개이고, ○ 부분은 3개 이하입니다. 옆에서 본 모양을 보면 ○ 부분 중 △ 부분은 쌓기나무가 각각 1개이고, 나머지는 3개입니다. 따라서 똑같은 모양으로 쌓는 데 필요한 쌓기나무는 6개입니다.

07 답 6개

앞에서 본 모양을 보면 ◇ 부분은 쌓기나무가 3개이고, ○ 부분은 2개 이하입니다. 옆에서 본 모양을 보면 ○ 부분 중 △ 부분은 쌓기나무가 1개, 나머지는 2개입니다. 따라서 똑같은 모양으로 쌓는 데 필요한 쌓기나무는 6개입니다.

08 답 8개

앞에서 본 모양을 보면 ☆ 부분은 쌓기나무가 1개, ◇ 부분은 2개, ○ 부분은 3개 이하입니다. 옆에서 본 모양을 보면 ○ 부분 중 △ 부분은 쌓기나무가 각각 1개, 나머지는 3개입니다. 따라서 똑같은 모양으로 쌓는 데 필요한 쌓기나무는 8개입니다.

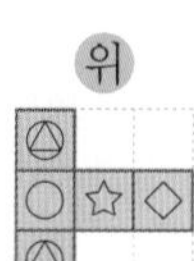

09 답 풀이 참조

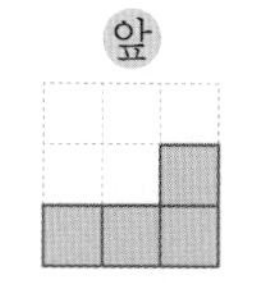

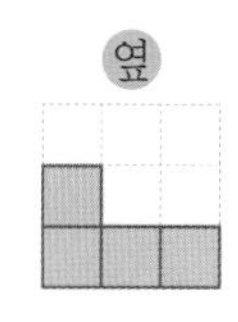

10 답 풀이 참조

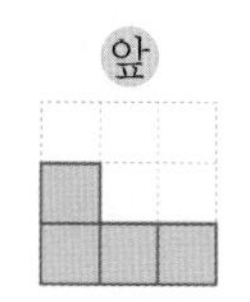

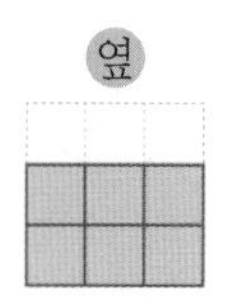

11 답 풀이 참조

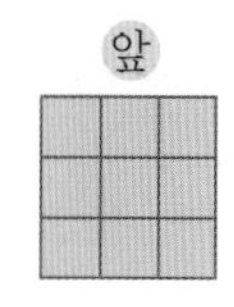

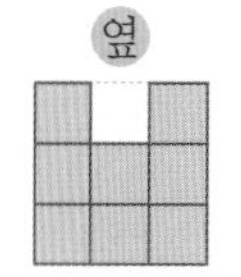

12 답 풀이 참조

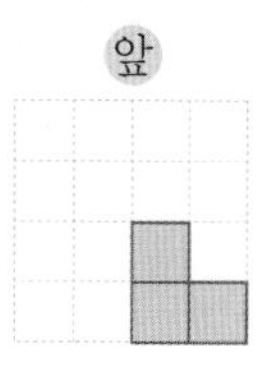

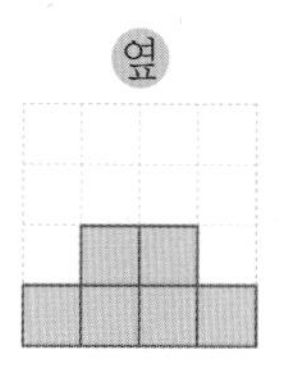

13 답 5개

앞에서 본 모양을 보면 ◇ 부분은 쌓기나무가 각각 1개, ○ 부분은 2개 이하입니다. 옆에서 본 모양을 보면 ○ 부분 중 △ 부분은 쌓기나무가 1개, 나머지는 2개입니다. 따라서 똑같은 모양으로 쌓는 데 필요한 쌓기나무는 5개입니다.

14 답 7개

앞에서 본 모양을 보면 ◇ 부분은 쌓기나무가 각각 1개, ○ 부분은 3개 이하입니다. 옆에서 본 모양을 보면 ○ 부분 중 △ 부분은 쌓기나무가 2개, 나머지는 3개입니다. 따라서 똑같은 모양으로 쌓는 데 필요한 쌓기나무는 7개입니다.

15 답 7개

앞에서 본 모양을 보면 ◇ 부분은 쌓기나무가 1개, ☆ 부분은 2개, ○ 부분은 3개 이하입니다. 옆에서 본 모양을 보면 ○ 부분 중 △ 부분은 쌓기나무가 1개, 나머지는 3개입니다. 따라서 똑같은 모양으로 쌓는 데 필요한 쌓기나무는 7개입니다.

16 답 8개

옆에서 본 모양을 보면 ◇ 부분은 쌓기나무가 각각 1개, ○ 부분은 3개 이하입니다. 앞에서 본 모양을 보면 ○ 부분 중 △ 부분은 쌓기나무가 2개, 나머지는 3개입니다. 따라서 똑같은 모양으로 쌓는 데 필요한 쌓기나무는 8개입니다.

17 답

옆에서 본 방향에서 가장 높은 층의 모양과 같습니다.

18 답

옆에서 본 방향에서 가장 높은 층의 모양과 같습니다.

19 답 위

위, 앞, 옆에서 본 모양은 다음과 같습니다.

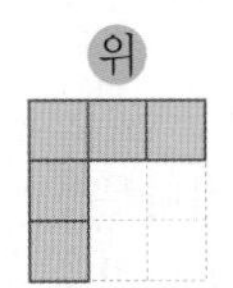

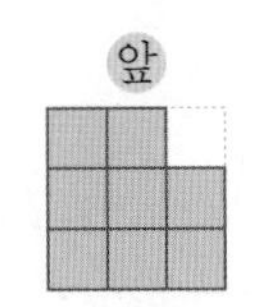

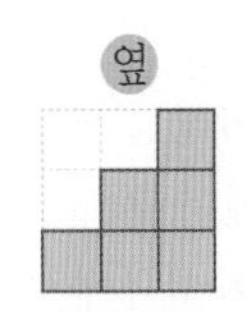

따라서 주어진 모양은 위에서 본 모양입니다.

20 답 옆

위, 앞, 옆에서 본 모양은 다음과 같습니다.

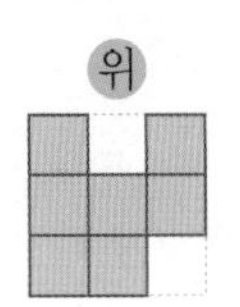

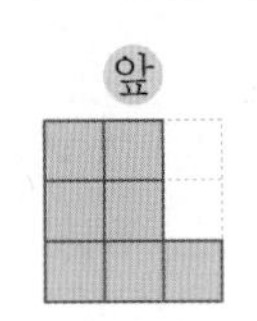

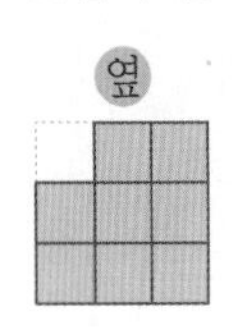

따라서 주어진 모양은 옆에서 본 모양입니다.

21 답 ㉠

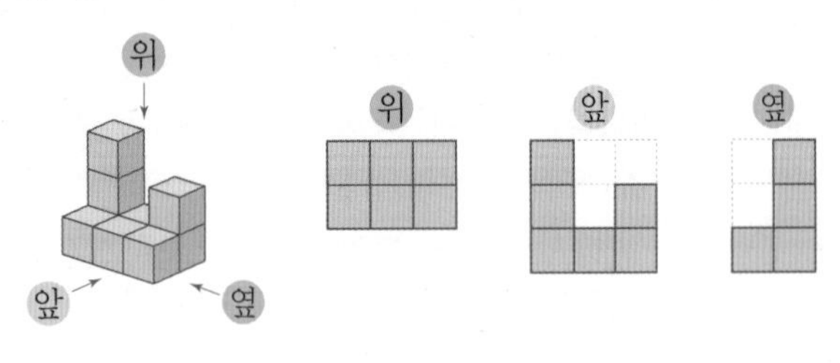

22 답 ㉡

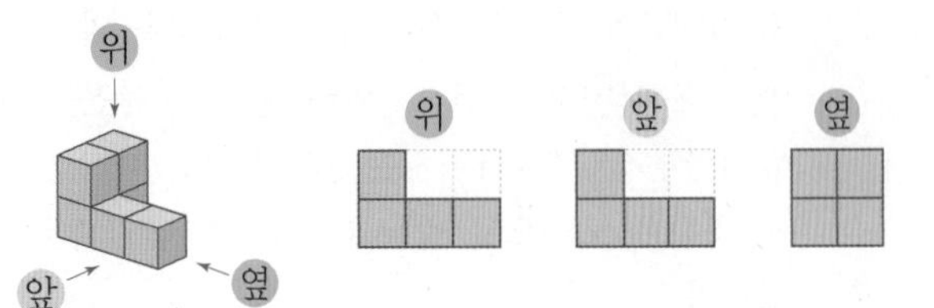

11 위에서 본 모양에 쓴 수

p. 51~53

> 예제 따라 풀어보는 연산

01 풀이 참조	**02** 풀이 참조	**03** 풀이 참조
04 풀이 참조	**05** 풀이 참조	**06** 풀이 참조
07 풀이 참조	**08** 풀이 참조	

> 스스로 풀어보는 연산

09 풀이 참조	**10** 풀이 참조	**11** 풀이 참조
12 풀이 참조	**13** 풀이 참조	**14** 풀이 참조
15 풀이 참조	**16** 풀이 참조	**17** 풀이 참조
18 풀이 참조		

> 응용 연산

19 10개	**20** 8개	**21** 풀이 참조
22 풀이 참조	**23** 2개	**24** 1개
25 ㉠	**26** ㉠	

01 답 풀이 참조

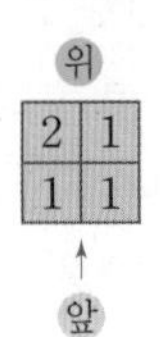

02 답 풀이 참조

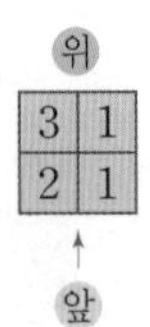

03 답 풀이 참조

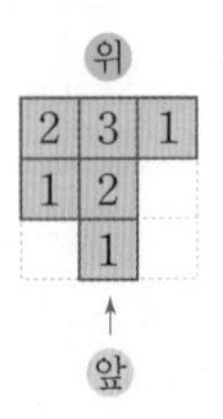

04 답 풀이 참조

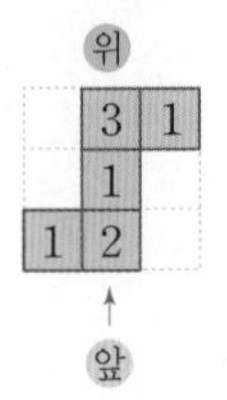

05 답 풀이 참조

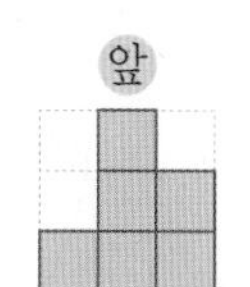

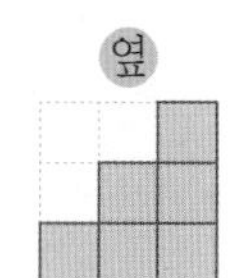

06 답 풀이 참조

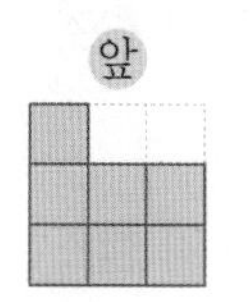

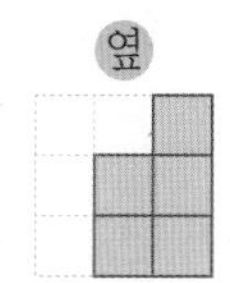

07 답 풀이 참조

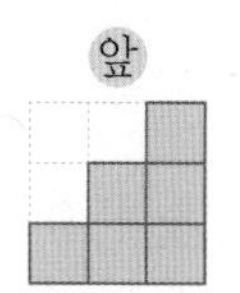

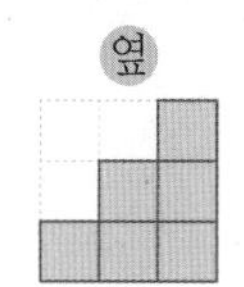

08 답 풀이 참조

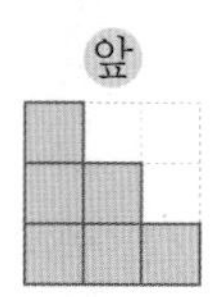

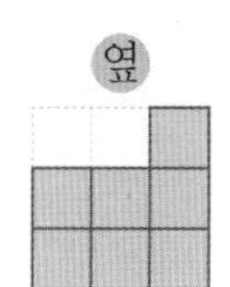

09 답 풀이 참조

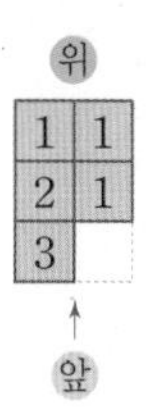

10 답 풀이 참조

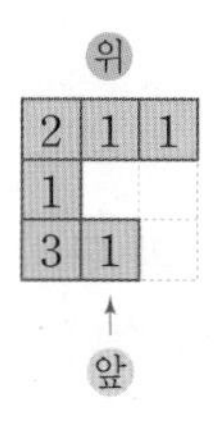

11 답 풀이 참조

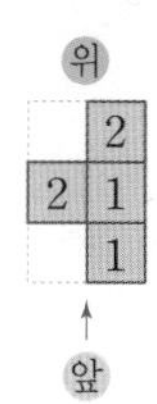

12 답 풀이 참조

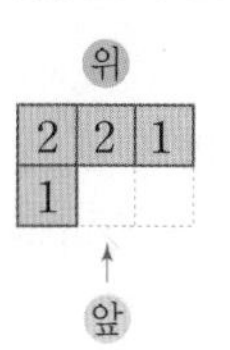

13 답 풀이 참조

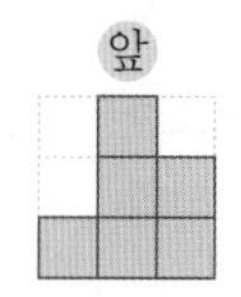

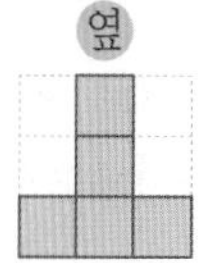

14 답 풀이 참조

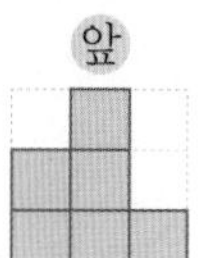

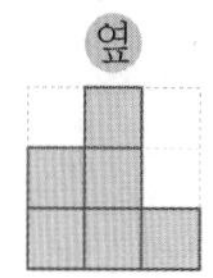

15 답 풀이 참조

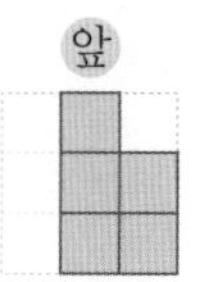

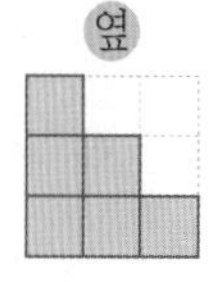

16 답 풀이 참조

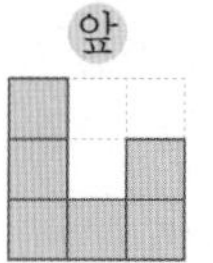

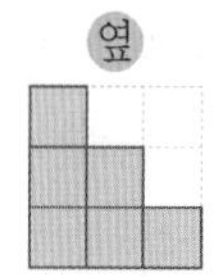

17 답 풀이 참조

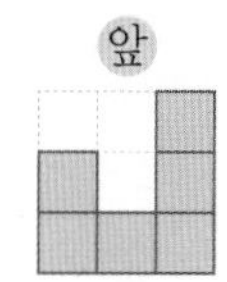

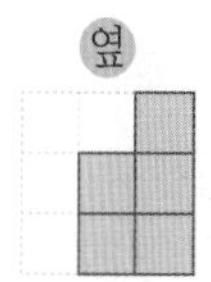

18 답 풀이 참조

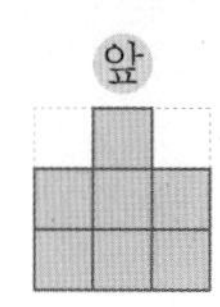

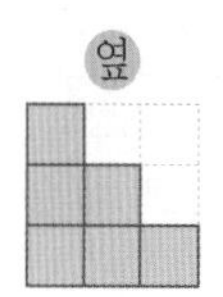

19 답 10개

위에서 본 모양에 쓰인 수를 모두 더하면 필요한 쌓기나무의 개수를 구할 수 있습니다.
따라서 똑같은 모양으로 쌓는 데 필요한 쌓기나무는 $1+2+3+1+2+1=10$(개)입니다.

20 답 8개

위에서 본 모양에 쓰인 수를 모두 더하면 필요한 쌓기나무의 개수를 구할 수 있습니다.
따라서 똑같은 모양으로 쌓는 데 필요한 쌓기나무는 $1+2+1+3+1=8$(개)입니다.

21 답 풀이 참조

위에서 본 모양에 수를 쓰면 오른쪽 그림과 같습니다. 똑같은 모양으로 쌓는 데 필요한 쌓기나무의 개수는 $3+1+2+1=7$(개)입니다.

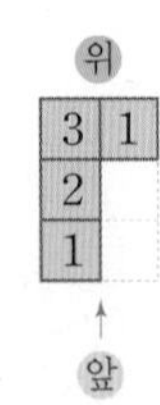

22 답 풀이 참조

위에서 본 모양에 수를 쓰면 오른쪽 그림과 같습니다. 똑같은 모양으로 쌓는 데 필요한 쌓기나무의 개수는
$3+1+1+2+1+2=10$(개)입니다.

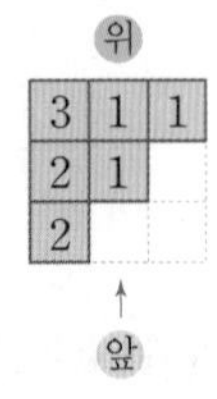

23 답 2개

옆에서 본 모양을 통해 ㉠에 쌓인 쌓기나무는 2개임을 알 수 있습니다.

24 답 1개

앞에서 본 모양을 통해 ㉠이 있는 줄의 가장 높은 층수는 1층임을 알 수 있습니다.
따라서 ㉠에 쌓인 쌓기나무는 1개입니다.

25 답 ㉠

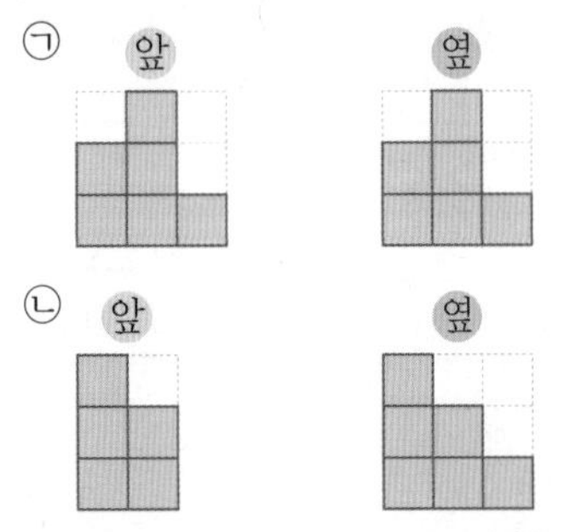

따라서 앞에서 본 모양과 옆에서 본 모양이 같은 것은 ㉠입니다.

26 답 ㉠

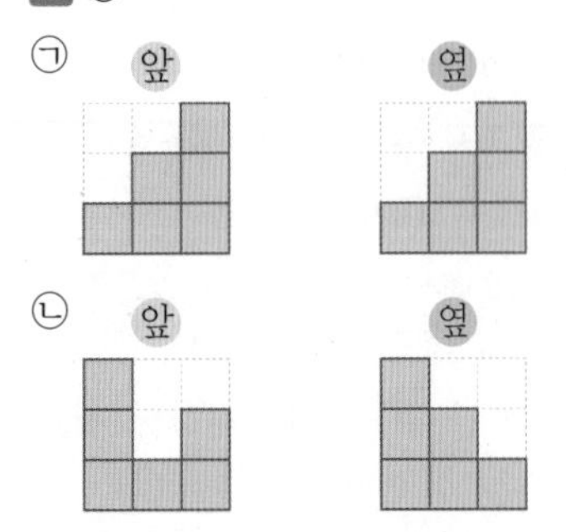

따라서 앞에서 본 모양과 옆에서 본 모양이 같은 것은 ㉠입니다.

12 층별로 나타낸 모양

p. 55~57

> 예제 따라 풀어보는 연산

01 풀이 참조 02 풀이 참조 03 풀이 참조
04 풀이 참조 05 풀이 참조 06 풀이 참조

> 스스로 풀어보는 연산

07 풀이 참조 08 풀이 참조 09 풀이 참조
10 풀이 참조 11 풀이 참조 12 풀이 참조
13 풀이 참조 14 풀이 참조

> 응용 연산

15 3 16 4 17 5, 3, 1, 9
18 6, 4, 2, 12 19 = 20 <
21 10개 22 7개

01 답 풀이 참조

1층 모양을 보고 쌓기나무로 쌓은 모양의 뒤에 보이지 않는 쌓기나무가 없다는 것을 알 수 있습니다. 2층에는 4개, 3층에는 2개가 있습니다.

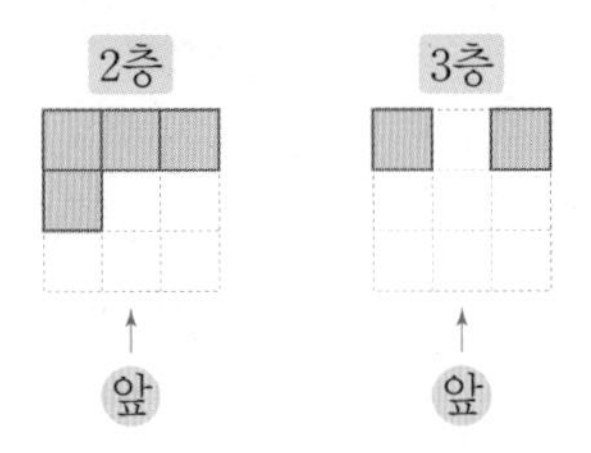

02 답 풀이 참조

1층 모양을 보고 쌓기나무로 쌓은 모양의 뒤에 보이지 않는 쌓기나무가 없다는 것을 알 수 있습니다. 2층에는 5개, 3층에는 2개가 있습니다.

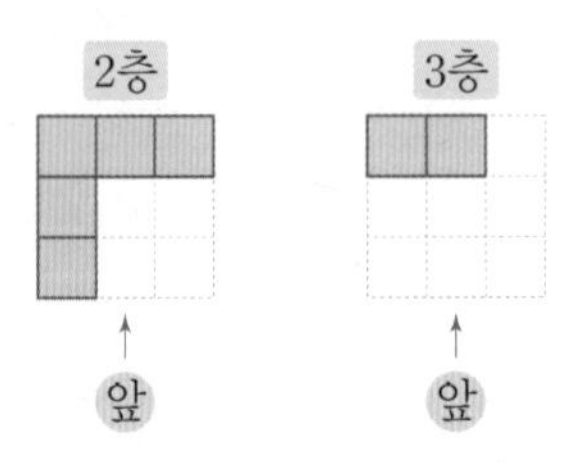

03 답 풀이 참조

1층 모양을 보고 쌓기나무로 쌓은 모양의 뒤에 보이지 않는 쌓기나무가 없다는 것을 알 수 있습니다. 2층에는 4개, 3층에는 2개가 있습니다.

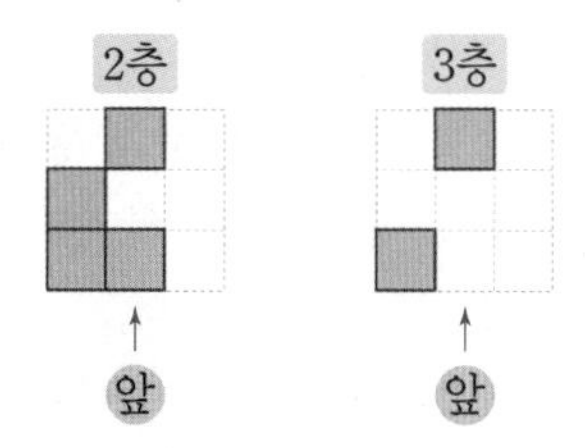

04 답 풀이 참조

1층 모양을 보고 쌓기나무로 쌓은 모양의 뒤에 보이지 않는 쌓기나무가 없다는 것을 알 수 있습니다. 2층에는 4개, 3층에는 2개가 있습니다.

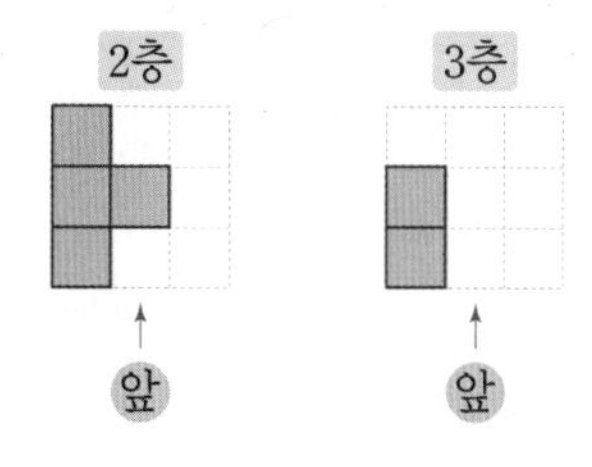

05 답 풀이 참조

쌓기나무를 층별로 나타낸 모양에서 1층 모양의 ○ 부분은 쌓기나무가 2층까지 있고 나머지 부분은 1층만 있습니다.

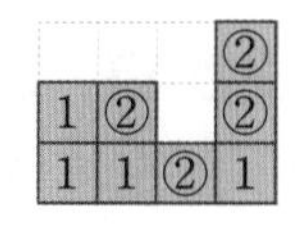

따라서 1층에 8개, 2층에 4개로 모두 12개가 필요합니다.

06 답 풀이 참조

쌓기나무를 층별로 나타낸 모양에서 1층 모양의 ○ 부분은 쌓기나무가 3층까지, ◇ 부분은 쌓기나무가 2층까지, 나머지 부분은 1층만 있습니다.

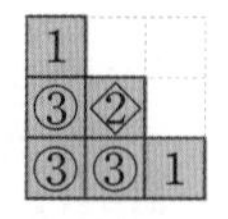

따라서 1층에 6개, 2층에 4개, 3층에 3개로 모두 13개가 필요합니다.

07 답 풀이 참조

1층 모양을 보고 쌓기나무로 쌓은 모양의 뒤에 보이지 않는 쌓기나무가 없다는 것을 알 수 있습니다. 2층에는 3개, 3층에는 1개가 있습니다.

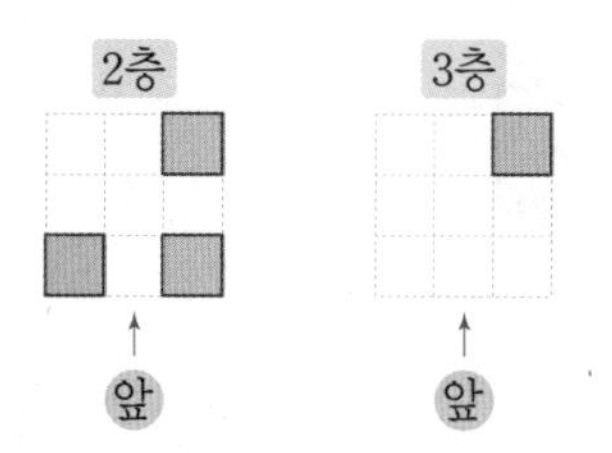

08 답 풀이 참조

1층 모양을 보고 쌓기나무로 쌓은 모양의 뒤에 보이지 않는 쌓기나무가 없다는 것을 알 수 있습니다. 2층에는 4개, 3층에는 1개가 있습니다.

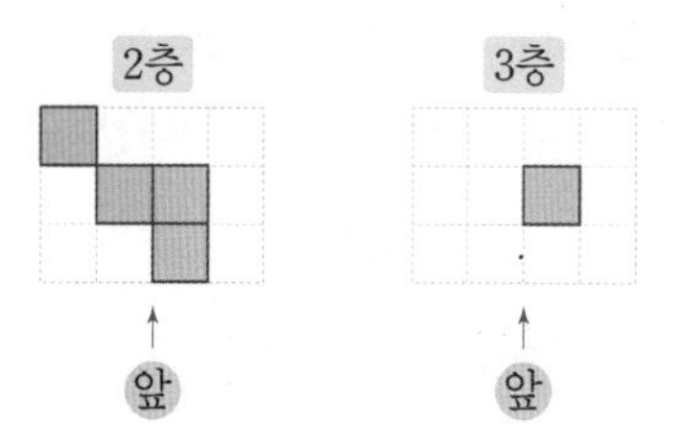

09 답 풀이 참조

1층 모양을 보고 쌓기나무로 쌓은 모양의 뒤에 보이지 않는 쌓기나무가 없다는 것을 알 수 있습니다. 2층에는 5개, 3층에는 2개가 있습니다.

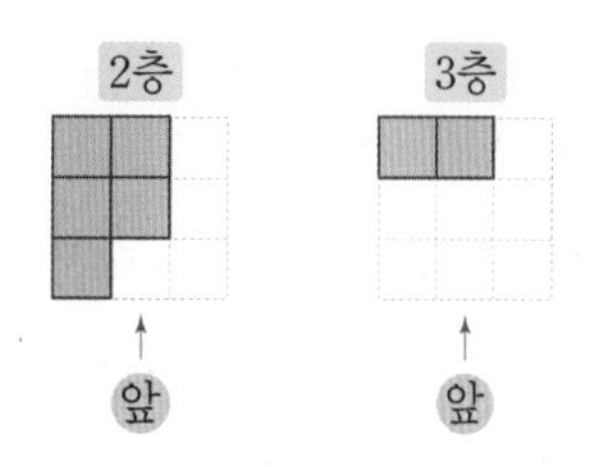

10 답 풀이 참조

1층 모양을 보고 쌓기나무로 쌓은 모양의 뒤에 보이지 않는 쌓기나무가 1개 있다는 것을 알 수 있습니다. 2층에는 5개, 3층에는 1개가 있습니다.

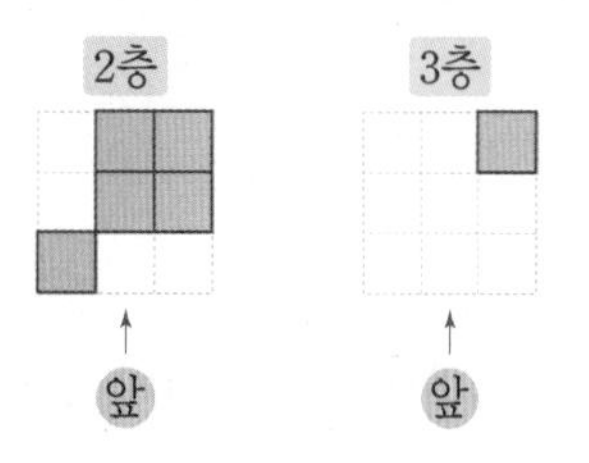

11 답 풀이 참조

쌓기나무를 층별로 나타낸 모양에서 1층 모양의 ○ 부분은 쌓기나무가 2층까지 있고 나머지 부분은 1층만 있습니다. 따라서 1층에 8개, 2층에 4개로 모두 12개가 필요합니다.

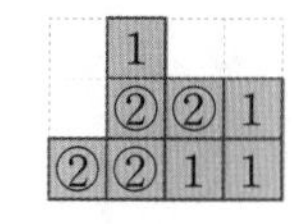

12 답 풀이 참조

쌓기나무를 층별로 나타낸 모양에서 1층 모양의 ○ 부분은 쌓기나무가 2층까지 있고 나머지 부분은 1층만 있습니다. 따라서 1층에는 9개, 2층에는 4개로 모두 13개가 필요합니다.

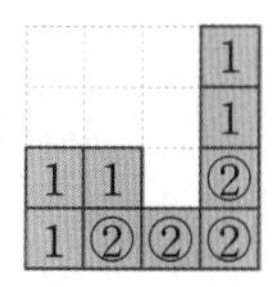

13 답 풀이 참조

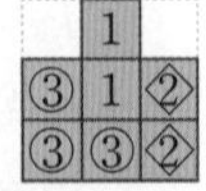

쌓기나무를 층별로 나타낸 모양에서 1층 모양의 ○ 부분은 쌓기나무가 3층까지, ◇ 부분은 쌓기나무가 2층까지, 나머지 부분은 1층만 있습니다. 따라서 1층에는 7개, 2층에는 5개, 3층에는 3개로 모두 15개가 필요합니다.

14 답 풀이 참조

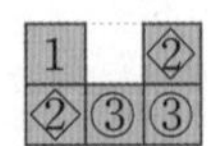

쌓기나무를 층별로 나타낸 모양에서 1층 모양의 ○ 부분은 쌓기나무가 3층까지, ◇ 부분은 쌓기나무가 2층까지, 나머지 부분은 1층만 있습니다. 따라서 1층에는 5개, 2층에는 4개, 3층에는 2개로 모두 11개가 필요합니다.

15 답 3

각 칸에 쓰여진 수가 2 이상인 칸은 3칸이므로 2층에 놓인 쌓기나무는 3개입니다.

16 답 4

각 칸에 쓰여진 수가 1 이상인 칸은 4칸이므로 1층에 놓인 쌓기나무는 4개입니다.

17 답 5, 3, 1, 9

각 칸에 쓰여진 수가 1 이상인 칸은 5개, 2 이상인 칸은 3개, 3 이상인 칸은 1개입니다. 따라서 1층에 5개, 2층에 3개, 3층에 1개로 쌓기나무는 모두 9개입니다.

18 답 6, 4, 2, 12

각 칸에 쓰여진 수가 1 이상인 칸은 6개, 2 이상인 칸은 4개, 3 이상인 칸은 2개입니다. 따라서 1층에 6개, 2층에 4개, 3층에 2개로 쌓기나무는 모두 12개입니다.

19 답 =

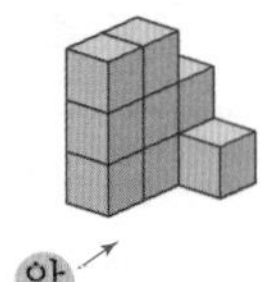

1층 모양을 보고 쌓기나무로 쌓은 모양의 뒤에 보이지 않는 쌓기나무가 없다는 것을 알 수 있습니다.
1층에 4개, 2층에 3개, 3층에 2개로 전체 쌓기나무는 9개입니다.

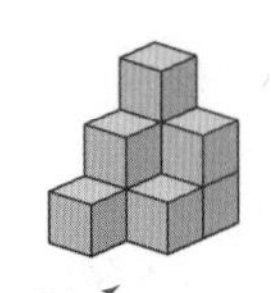

1층 모양을 보고 쌓기나무로 쌓은 모양의 뒤에 보이지 않는 쌓기나무가 없다는 것을 알 수 있습니다.
1층에 5개, 2층에 3개, 3층에 1개로 전체 쌓기나무는 9개입니다.

따라서 ○ 안에 알맞은 것은 =입니다.

20 답 <

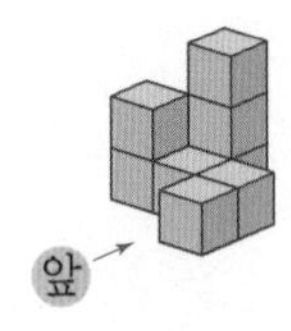

1층 모양을 보고 쌓기나무로 쌓은 모양의 뒤에 보이지 않는 쌓기나무가 없다는 것을 알 수 있습니다.
1층에 5개, 2층에 2개, 3층에 1개로 전체 쌓기나무는 8개입니다.

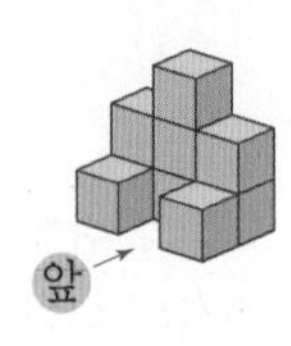

1층 모양을 보고 쌓기나무로 쌓은 모양의 뒤에 보이지 않는 쌓기나무가 없다는 것을 알 수 있습니다.
1층에 5개, 2층에 3개, 3층에 1개로 전체 쌓기나무는 9개입니다.

따라서 ○ 안에 알맞은 것은 <입니다.

21 답 10개

각 칸에 쓰여진 수가 1 이상인 칸은 6개, 2 이상인 칸은 4개입니다.
따라서 1층과 2층에 사용된 쌓기나무는
$6+4=10$(개)입니다.

22 답 7개

각 칸에 쓰여진 수가 1 이상인 칸은 5개, 2 이상인 칸은 2개입니다.
따라서 1층과 2층에 사용된 쌓기나무는
$5+2=7$(개)입니다.

p. 58

재미있게, 우리 연산하자!

[1] 가

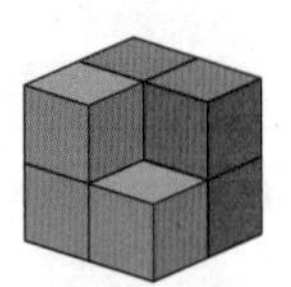

[2] 예 마, 바

[3] 예 나, 라

4 ::: 비례식과 비례배분

13 비의 성질

p. 61~63

> 예제 따라 풀어보는 연산

01 예 1 : 3, 6 : 18
02 예 10 : 8, 15 : 12
03 예 3 : 6, 12 : 24
04 예 2 : 8, 8 : 32
05 예 15 : 13 **06** 예 8 : 3 **07** 예 17 : 11
08 예 5 : 72 **09** 예 3 : 13 **10** 예 5 : 6
11 예 9 : 7 **12** 예 7 : 2

> 스스로 풀어보는 연산

13 예 24 : 3, 8 : 1 **14** 예 6 : 16, 9 : 24
15 예 2 : 10, 1 : 5 **16** 예 1 : 3, 26 : 78
17 예 5 : 6, 50 : 60 **18** 예 21 : 28, 6 : 8
19 예 6 : 13 **20** 예 5 : 17
21 예 2 : 1 **22** 예 9 : 2
23 예 5 : 12 **24** 예 2 : 1
25 예 4 : 7 **26** 예 3 : 1

> 응용 연산

27 $\frac{9}{17}$ **28** $\frac{24}{23}$ **29** 풀이 참조
30 풀이 참조 **31** 나 **32** 가
33 37 **34** 13

01 답 예 1 : 3, 6 : 18
전항과 후항을 3으로 나누면 1 : 3,
전항과 후항에 2를 곱하면 6 : 18입니다.

02 답 예 10 : 8, 15 : 12
전항과 후항에 2를 곱하면 10 : 8,
전항과 후항에 3을 곱하면 15 : 12입니다.

03 답 예 3 : 6, 12 : 24
전항과 후항을 2로 나누면 3 : 6,
전항과 후항에 2를 곱하면 12 : 24입니다.

04 답 예 2 : 8, 8 : 32
전항과 후항을 2로 나누면 2 : 8,
전항과 후항에 2를 곱하면 8 : 32입니다.

09 답 예 3 : 13
전항과 후항에 39를 곱하면 3 : 13입니다.

10 답 예 5 : 6
전항과 후항에 30을 곱하면 5 : 6입니다.

11 답 예 9 : 7
전항과 후항에 63을 곱하면 9 : 7입니다.

12 답 예 7 : 2
전항과 후항에 14를 곱하면 7 : 2입니다.

13 답 예 24 : 3, 8 : 1
전항과 후항을 3으로 나누면 24 : 3,
전항과 후항을 9로 나누면 8 : 1입니다.

14 답 예 6 : 16, 9 : 24
전항과 후항에 2를 곱하면 6 : 16,
전항과 후항에 3을 곱하면 9 : 24입니다.

15 답 예 2 : 10, 1 : 5
전항과 후항을 3으로 나누면 2 : 10,
전항과 후항을 6으로 나누면 1 : 5입니다.

16 답 예 1 : 3, 26 : 78
전항과 후항을 13으로 나누면 1 : 3,
전항과 후항에 2를 곱하면 26 : 78입니다.

17 답 예 5 : 6, 50 : 60
전항과 후항을 5로 나누면 5 : 6,
전항과 후항에 2를 곱하면 50 : 60입니다.

18 답 예 21 : 28, 6 : 8
전항과 후항을 2로 나누면 21 : 28,
전항과 후항을 7로 나누면 6 : 8입니다.

23 답 예 5 : 12
전항과 후항에 60을 곱하면 5 : 12입니다.

24 답 예 2 : 1
전항과 후항에 34를 곱하면 2 : 1입니다.

25 답 예 4 : 7
전항과 후항에 28을 곱하면 4 : 7입니다.

26 답 예 3 : 1
전항과 후항에 9를 곱하면 3 : 1입니다.

27 답 $\frac{9}{17}$
비의 후항은 각각 6, 17, 4, 15이고 17>15>6>4 이므로 후항이 가장 큰 비는 9 : 17입니다.
따라서 후항이 가장 큰 비의 비율은 $\frac{9}{17}$입니다.

28 답 $\frac{24}{23}$
비의 후항은 각각 7, 23, 19, 13이고 23>19>13>7이므로 후항이 가장 큰 비는 24 : 23입니다.
따라서 후항이 가장 큰 비의 비율은 $\frac{24}{23}$입니다.

29 답

3 : 9의 전항과 후항에 3을 곱하면 9 : 27
2 : 32의 전항과 후항을 2로 나누면 1 : 16
16 : 32의 전항과 후항을 4로 나누면 4 : 8

30 답

7 : 12의 전항과 후항에 3을 곱하면 21 : 36
18 : 26의 전항과 후항을 2로 나누면 9 : 13
3 : 7의 전항과 후항에 3을 곱하면 9 : 21

31 답 나
가 직사각형의 가로와 세로의 비 20 : 14는 전항과 후항을 2로 나누면 10 : 7이 되고,
나 직사각형의 가로와 세로의 비 15 : 12는 전항과 후항을 3으로 나누면 5 : 4가 됩니다.
따라서 가로와 세로의 비가 주어진 비와 같은 직사각형은 **나**입니다.

32 답 가
가 직사각형의 가로와 세로의 비 14 : 18은 전항과 후항을 2로 나누면 7 : 9가 되고,
나 직사각형의 가로와 세로의 비 16 : 14는 전항과 후항을 2로 나누면 8 : 7이 됩니다.
따라서 가로와 세로의 비가 주어진 비와 같은 직사각형은 **가**입니다.

33 답 37
$\frac{5}{6}$: $\frac{2}{5}$의 전항과 후항에 30을 곱하면 25 : 12입니다. 더 이상 나눌 수 없으므로 가장 간단한 자연수의 비로 나타내면 25 : 12이고 전항과 후항의 합은 25+12=37입니다.

34 답 13
1.2 : $\frac{3}{4}$의 전항과 후항에 20을 곱하면 24 : 15입니다. 24 : 15의 전항과 후항을 3으로 나누면 8 : 5입니다. 더 이상 나눌 수 없으므로 가장 간단한 자연수의 비로 나타내면 8 : 5이고 전항과 후항의 합은 8+5=13입니다.

14 비례식

p. 65~67

> 예제 따라 풀어보는 연산

01 외항 ⇨ 4, 18, 내항 ⇨ 6, 12
02 외항 ⇨ 3, 15, 내항 ⇨ 5, 9
03 외항 ⇨ 9, 33, 내항 ⇨ 11, 27
04 외항 ⇨ 2, 80, 내항 ⇨ 10, 16
05 외항 ⇨ 2, 91, 내항 ⇨ 13, 14
06 외항 ⇨ 6, 4, 내항 ⇨ 8, 3
07 4 : 5=8 : 10 **08** 5 : 15=1 : 3
09 1 : 6=6 : 36 **10** 20 : 5=4 : 1
11 72 : 63=8 : 7 **12** 45 : 9=30 : 6

> 스스로 풀어보는 연산

13 외항 ⇨ 3, 12, 내항 ⇨ 4, 9
14 외항 ⇨ 4, 3, 내항 ⇨ 6, 2
15 외항 ⇨ 81, 1, 내항 ⇨ 9, 9
16 외항 ⇨ 55, 1, 내항 ⇨ 11, 5
17 외항 ⇨ 7, 45, 내항 ⇨ 15, 21
18 외항 ⇨ 40, 10, 내항 ⇨ 25, 16
19 4 : 6=6 : 9 **20** 20 : 45=36 : 81
21 7 : 9=28 : 36 **22** 4 : 3=16 : 12
23 18 : 20=9 : 10 **24** 10 : 14=25 : 35
25 14 : 16=21 : 24 **26** 33 : 45=44 : 60

> 응용 연산

27 60, 60 **28** 125, 125 **29** 3, 6, 18
30 14, 7, 98 **31** ㉠, ㉡, ㉢ **32** ㉡, ㉠, ㉢
33 풀이 참조 **34** 풀이 참조

07 답 4 : 5=8 : 10

각 비를 비율로 나타내면 $\frac{4}{5}$, $\frac{7}{3}$, $\frac{6}{9}\left(=\frac{2}{3}\right)$, $\frac{8}{10}\left(=\frac{4}{5}\right)$이므로 비율이 같은 두 비를 비례식으로 나타내면 4 : 5=8 : 10입니다.

08 답 5 : 15=1 : 3

각 비를 비율로 나타내면 $\frac{5}{15}\left(=\frac{1}{3}\right)$, $\frac{4}{8}\left(=\frac{1}{2}\right)$, $\frac{8}{6}\left(=\frac{4}{3}\right)$, $\frac{1}{3}$이므로 비율이 같은 두 비를 비례식으로 나타내면 5 : 15=1 : 3입니다.

09 답 1 : 6=6 : 36

각 비를 비율로 나타내면 $\frac{12}{24}\left(=\frac{1}{2}\right)$, $\frac{1}{6}$, $\frac{6}{36}\left(=\frac{1}{6}\right)$, $\frac{2}{3}$이므로 비율이 같은 두 비를 비례식으로 나타내면 1 : 6=6 : 36입니다.

10 답 20 : 5=4 : 1

각 비를 비율로 나타내면 $\frac{20}{5}(=4)$, 4, $\frac{12}{4}(=3)$, 6이므로 비율이 같은 두 비를 비례식으로 나타내면 20 : 5=4 : 1입니다.

11 답 72 : 63=8 : 7

각 비를 비율로 나타내면 $\frac{9}{3}(=3)$, $\frac{72}{63}\left(=\frac{8}{7}\right)$, $\frac{13}{26}\left(=\frac{1}{2}\right)$, $\frac{8}{7}$이므로 비율이 같은 두 비를 비례식으로 나타내면 72 : 63=8 : 7입니다.

12 답 45 : 9=30 : 6

각 비를 비율로 나타내면 6, $\frac{27}{3}(=9)$, $\frac{45}{9}(=5)$, $\frac{30}{6}(=5)$이므로 비율이 같은 두 비를 비례식으로 나타내면 45 : 9=30 : 6입니다.

19 답 4 : 6=6 : 9

각 비를 비율로 나타내면 $\frac{4}{9}$, $\frac{3}{12}\left(=\frac{1}{4}\right)$, $\frac{4}{6}\left(=\frac{2}{3}\right)$, $\frac{6}{9}\left(=\frac{2}{3}\right)$이므로 비율이 같은 두 비를 비례식으로 나타내면 4 : 6=6 : 9입니다.

20 답 20 : 45=36 : 81

각 비를 비율로 나타내면 $\frac{20}{45}\left(=\frac{4}{9}\right)$, $\frac{36}{81}\left(=\frac{4}{9}\right)$, $\frac{12}{36}\left(=\frac{1}{3}\right)$, $\frac{16}{45}$이므로 비율이 같은 두 비를 비례식으로 나타내면 20 : 45=36 : 81입니다.

21 답 7 : 9=28 : 36

각 비를 비율로 나타내면 $\frac{7}{9}$, $\frac{28}{36}\left(=\frac{7}{9}\right)$, $\frac{3}{9}\left(=\frac{1}{3}\right)$, $\frac{63}{42}\left(=\frac{3}{2}\right)$이므로 비율이 같은 두 비를 비례식으로 나타내면 7 : 9=28 : 36입니다.

22 답 4 : 3=16 : 12

각 비를 비율로 나타내면 $\frac{4}{3}$, $\frac{12}{16}\left(=\frac{3}{4}\right)$, $\frac{16}{12}\left(=\frac{4}{3}\right)$, $\frac{24}{9}\left(=\frac{8}{3}\right)$이므로 비율이 같은 두 비를 비례식으로 나타내면 4 : 3=16 : 12입니다.

23 답 18 : 20=9 : 10

각 비를 비율로 나타내면 $\frac{18}{20}\left(=\frac{9}{10}\right)$, $\frac{15}{18}\left(=\frac{5}{6}\right)$, $\frac{6}{8}\left(=\frac{3}{4}\right)$, $\frac{9}{10}$이므로 비율이 같은 두 비를 비례식으로 나타내면 18 : 20=9 : 10입니다.

24 답 10 : 14=25 : 35

각 비를 비율로 나타내면 $\frac{26}{16}\left(=\frac{13}{8}\right)$, $\frac{16}{20}\left(=\frac{4}{5}\right)$, $\frac{10}{14}\left(=\frac{5}{7}\right)$, $\frac{25}{35}\left(=\frac{5}{7}\right)$이므로 비율이 같은 두 비를 비례식으로 나타내면 10 : 14=25 : 35입니다.

25 답 14 : 16=21 : 24

분수로 나타낸 비 $\frac{1}{5}$: $\frac{1}{7}$의 전항과 후항에 5와 7의 공배수인 35를 곱하면 간단한 자연수의 비인 7 : 5로 나타낼 수 있습니다.

따라서 각 비를 비율로 나타내면 $\frac{14}{16}\left(=\frac{7}{8}\right)$, $\frac{7}{5}$, $\frac{10}{25}\left(=\frac{2}{5}\right)$, $\frac{21}{24}\left(=\frac{7}{8}\right)$이므로 비율이 같은 두 비를 비례식으로 나타내면 14 : 16=21 : 24입니다.

26 답 33 : 45=44 : 60

소수로 나타낸 비 0.4 : 0.7의 전항과 후항에 10을 곱하면 간단한 자연수의 비인 4 : 7로 나타낼 수 있습니다.

따라서 각 비를 비율로 나타내면 $\frac{33}{45}\left(=\frac{11}{15}\right)$, $\frac{4}{7}$, $\frac{10}{18}\left(=\frac{5}{9}\right)$, $\frac{44}{60}\left(=\frac{11}{15}\right)$이므로 비율이 같은 두 비를 비례식으로 나타내면 33 : 45=44 : 60입니다.

27 답 60, 60

15 : 20의 전항과 후항에 3을 곱하면 45 : 60입니다. 따라서 비례식은 15 : 20=45 : 60입니다.

28 답 125, 125

25 : 8의 전항과 후항에 5를 곱하면 125 : 40입니다. 따라서 비례식은 25 : 8=125 : 40입니다.

29 답 3, 6, 18

주어진 비례식에서 외항은 3, 18이고 내항은 9, 6입니다. 따라서 □ 안에 알맞은 수는 3, 6이고 곱은 18입니다.

30 답 14, 7, 98

주어진 비례식에서 외항은 14, 12이고 내항은 24, 7입니다. 따라서 □ 안에 알맞은 수는 14, 7이고 곱은 98입니다.

31 답 ㉠, ㉡, ㉢

㉠ 6 : 5의 전항과 후항에 2를 곱하면 12 : 10
□=10

㉡ 3 : 8의 전항과 후항에 3을 곱하면 9 : 24
□=9

㉢ 8 : 14의 전항과 후항을 2로 나누면 4 : 7
□=7

따라서 □ 안에 알맞은 수가 큰 것부터 차례대로 기호를 쓰면 ㉠, ㉡, ㉢입니다.

32 답 ㉡, ㉠, ㉢

㉠ 45 : 40의 전항과 후항을 5로 나누면 9 : 8
□=8

㉡ 4 : 3의 전항과 후항에 5를 곱하면 20 : 15
□=20

㉢ 30 : 24의 전항과 후항을 6으로 나누면 5 : 4
□=5

따라서 □ 안에 알맞은 수가 큰 것부터 차례대로 기호를 쓰면 ㉡, ㉠, ㉢입니다.

33 답

7 : 3의 전항과 후항에 3을 곱하면 21 : 9
20 : 8의 전항과 후항을 4로 나누면 5 : 2
$\frac{5}{3}$: $\frac{4}{3}$의 전항과 후항에 3을 곱하면 5 : 4

34 답

1 : 2의 전항과 후항에 12를 곱하면 12 : 24
5 : 9의 전항과 후항에 20을 곱하면 100 : 180
$\frac{3}{10}$: $\frac{5}{10}$의 전항과 후항에 10을 곱하면 3 : 5

15 비례식의 성질

p. 69~71

> 예제 따라 풀어보는 연산

01 15 : 3=5 : 1, 6 : 9=4 : 6

02 9 : 5=27 : 15, 14 : 8=7 : 4

03 8 : 10=4 : 5, 28 : 7=4 : 1

04 24 : 16=3 : 2, 40 : 20=2 : 1

05 6 : 20=3 : 10, 10 : 8=5 : 4

06 3.3 : 5.5=3 : 5, 2 : 7=30 : 105

07 6 **08** 72 **09** 6

10 3 **11** 1 **12** 8

> 스스로 풀어보는 연산

13 42, 42, ○ **14** 650, 780, ×

15 45, 90, × **16** 648, 648, ○

17 225, 175, × **18** 180, 60, ×

19 2 **20** 28 **21** 1

22 10 **23** 6 **24** 8

25 3 **26** 20

> 응용 연산

27 68 **28** 35 **29** ㉠, ㉣, ㉡, ㉢

30 ㉢, ㉡, ㉣, ㉠ **31** 13500원

32 14700원 **33** 132 cm **34** 264 cm

07 답 6
외항의 곱과 내항의 곱이 같으므로
3×4=2×□, 2×□=12, □=6

08 답 72
외항의 곱과 내항의 곱이 같으므로
9×□=8×81, 9×□=648, □=72

09 답 6
외항의 곱과 내항의 곱이 같으므로
55×□=2×165, 55×□=330, □=6

10 답 3
외항의 곱과 내항의 곱이 같으므로
38×15=□×190, □×190=570, □=3

11 답 1
외항의 곱과 내항의 곱이 같으므로
48×□=16×3, 48×□=48, □=1

12 답 8
외항의 곱과 내항의 곱이 같으므로
72×1=9×□, 9×□=72, □=8

19 답 2
외항의 곱과 내항의 곱이 같으므로
□×36=3×24, □×36=72, □=2

20 답 28
외항의 곱과 내항의 곱이 같으므로
4×63=9×□, 9×□=252, □=28

21 답 1
외항의 곱과 내항의 곱이 같으므로
5×13=65×□, 65×□=65, □=1

22 답 10
외항의 곱과 내항의 곱이 같으므로
12×□=40×3, 12×□=120, □=10

23 답 6
외항의 곱과 내항의 곱이 같으므로
52×□=12×26, 52×□=312, □=6

24 답 8
외항의 곱과 내항의 곱이 같으므로
56×7=49×□, 49×□=392, □=8

25 답 3
외항의 곱과 내항의 곱이 같으므로
63×1=21×□, 21×□=63, □=3

26 답 20
외항의 곱과 내항의 곱이 같으므로
45×□=180×5, 45×□=900, □=20

27 답 68
외항의 곱과 내항의 곱이 같으므로
★×●=4×17=68입니다.

28 답 35
외항의 곱과 내항의 곱이 같으므로
●×★=5×7=35입니다.

29 답 ㉠, ㉣, ㉡, ㉢

㉠ 1 : 2=9 : [18]　㉡ 3 : [11]=0.3 : 1.1

㉢ $\frac{1}{2}$: $\frac{1}{3}$=[9] : 6　㉣ 5 : 6=[15] : 18

따라서 □ 안에 알맞은 수가 큰 것부터 차례대로 기호를 쓰면 ㉠, ㉣, ㉡, ㉢입니다.

30 답 ㉢, ㉡, ㉣, ㉠

㉠ 81 : 9=0.9 : [0.1]　㉡ 9 : [2]=27 : 6

㉢ $\frac{1}{5}$: $\frac{1}{6}$=[6] : 5　㉣ 16 : 40=0.2 : [0.5]

따라서 □ 안에 알맞은 수가 큰 것부터 차례대로 기호를 쓰면 ㉢, ㉡, ㉣, ㉠입니다.

31 답 13500원

우유 5통의 가격을 □원이라 하고 비례식을 세우면
1 : 2700=5 : □입니다.
외항의 곱과 내항의 곱이 같으므로
1×□=2700×5, □=13500
따라서 우유 5통은 13500원입니다.

32 답 14700원

사과 21개의 가격을 □원이라 하고 비례식을 세우면
3 : 2100=21 : □입니다.
외항의 곱과 내항의 곱이 같으므로
3×□=2100×21, 3×□=44100, □=14700
따라서 사과 21개는 14700원입니다.

33 답 132 cm

책상의 세로를 □cm라 하고 비례식을 세우면
7 : 12=77 : □입니다.
외항의 곱과 내항의 곱이 같으므로
7×□=12×77, 7×□=924, □=132
따라서 책상의 세로는 132 cm입니다.

34 답 264 cm

액자의 가로를 □cm라 하고 비례식을 세우면
11 : 5=□ : 120입니다.
외항의 곱과 내항의 곱이 같으므로
11×120=5×□, 5×□=1320, □=264
따라서 액자의 가로는 264 cm입니다.

16 비례배분

p. 73~75

> 예제 따라 풀어보는 연산

01 8, 16　**02** 28, 8　**03** 8, 20
04 4, 12　**05** 18, 9　**06** 4, 14
07 예진: 15 m, 지호: 25 m
08 미애: 54개, 영수: 18개
09 민지: 3200원, 진영: 4800원
10 소희: 350 mL, 선영: 250 mL

> 스스로 풀어보는 연산

11 250, 50　**12** 21, 63　**13** 72, 36
14 32, 24　**15** 45, 15　**16** 48, 3
17 10, 25　**18** 6, 84
19 영진: 25개, 상우: 20개
20 지은: 12개, 수지: 18개
21 수현: 150 mL, 우빈: 100 mL
22 형진: 30개, 수혜: 70개
23 류진: 40장, 석화: 80장
24 상원: 200개, 혁진: 120개

> 응용 연산

25 64　**26** 378　**27** 2048
28 2880　**29** 풀이 참조　**30** 풀이 참조
31 지수, 3000원　**32** 혜진, 500 mL

01 답 8, 16

$24\times\frac{1}{1+2}=24\times\frac{1}{3}=8$

$24\times\frac{2}{1+2}=24\times\frac{2}{3}=16$

02 답 28, 8

$36\times\frac{7}{7+2}=36\times\frac{7}{9}=28$

$36\times\frac{2}{7+2}=36\times\frac{2}{9}=8$

03 답 8, 20

$28\times\frac{2}{2+5}=28\times\frac{2}{7}=8$

$28\times\frac{5}{2+5}=28\times\frac{5}{7}=20$

04 답 4, 12

$16\times\frac{1}{1+3}=16\times\frac{1}{4}=4$

$16\times\frac{3}{1+3}=16\times\frac{3}{4}=12$

05 답 18, 9

$27\times\frac{2}{2+1}=27\times\frac{2}{3}=18$

$27\times\frac{1}{2+1}=27\times\frac{1}{3}=9$

06 답 4, 14

$18\times\frac{2}{2+7}=18\times\frac{2}{9}=4$

$18\times\frac{7}{2+7}=18\times\frac{7}{9}=14$

07 답 **예진:** 15 m, **지호:** 25 m

예진: $40\times\frac{3}{3+5}=40\times\frac{3}{8}=15(\text{m})$

지호: $40\times\frac{5}{3+5}=40\times\frac{5}{8}=25(\text{m})$

08 답 **미애:** 54개, **영수:** 18개

미애: $72\times\frac{6}{6+2}=72\times\frac{6}{8}=54$(개)

영수: $72\times\frac{2}{6+2}=72\times\frac{2}{8}=18$(개)

09 답 **민지:** 3200원, **진영:** 4800원

민지: $8000\times\frac{4}{4+6}=8000\times\frac{4}{10}=3200$(원)

진영: $8000\times\frac{6}{4+6}=8000\times\frac{6}{10}=4800$(원)

10 답 **소희:** 350 mL, **선영:** 250 mL

소희: $600\times\frac{7}{7+5}=600\times\frac{7}{12}=350(\text{mL})$

선영: $600\times\frac{5}{7+5}=600\times\frac{5}{12}=250(\text{mL})$

11 답 250, 50

$300\times\frac{5}{5+1}=300\times\frac{5}{6}=250$

$300\times\frac{1}{5+1}=300\times\frac{1}{6}=50$

12 답 21, 63

$84\times\frac{1}{1+3}=84\times\frac{1}{4}=21$

$84\times\frac{3}{1+3}=84\times\frac{3}{4}=63$

13 답 72, 36

$108\times\frac{2}{2+1}=108\times\frac{2}{3}=72$

$108\times\frac{1}{2+1}=108\times\frac{1}{3}=36$

14 답 32, 24

$56\times\frac{4}{4+3}=56\times\frac{4}{7}=32$

$56\times\frac{3}{4+3}=56\times\frac{3}{7}=24$

15 답 45, 15

$60\times\frac{3}{3+1}=60\times\frac{3}{4}=45$

$60\times\frac{1}{3+1}=60\times\frac{1}{4}=15$

16 답 48, 3

$51\times\frac{16}{16+1}=51\times\frac{16}{17}=48$

$51\times\frac{1}{16+1}=51\times\frac{1}{17}=3$

17 답 10, 25

$35\times\frac{2}{2+5}=35\times\frac{2}{7}=10$

$35\times\frac{5}{2+5}=35\times\frac{5}{7}=25$

18 답 6, 84

$90\times\frac{1}{1+14}=90\times\frac{1}{15}=6$

$90\times\frac{14}{1+14}=90\times\frac{14}{15}=84$

19 답 **영진:** 25개, **상우:** 20개

영진: $45\times\frac{5}{5+4}=45\times\frac{5}{9}=25$(개)

상우: $45\times\frac{4}{5+4}=45\times\frac{4}{9}=20$(개)

20 답 지은: 12개, 수지: 18개

지은: $30\times\frac{2}{2+3}=30\times\frac{2}{5}=12$(개)

수지: $30\times\frac{3}{2+3}=30\times\frac{3}{5}=18$(개)

21 답 수현: 150 mL, 우빈: 100 mL

수현: $250\times\frac{6}{6+4}=250\times\frac{6}{10}=150$(mL)

우빈: $250\times\frac{4}{6+4}=250\times\frac{4}{10}=100$(mL)

22 답 형진: 30개, 수혜: 70개

형진: $100\times\frac{3}{3+7}=100\times\frac{3}{10}=30$(개)

수혜: $100\times\frac{7}{3+7}=100\times\frac{7}{10}=70$(개)

23 답 류진: 40장, 석화: 80장

류진: $120\times\frac{4}{4+8}=120\times\frac{4}{12}=40$(장)

석화: $120\times\frac{8}{4+8}=120\times\frac{8}{12}=80$(장)

24 답 상원: 200개, 혁진: 120개

상원: $320\times\frac{5}{5+3}=320\times\frac{5}{8}=200$(개)

혁진: $320\times\frac{3}{5+3}=320\times\frac{3}{8}=120$(개)

25 답 64

★: $34\times\frac{16}{16+1}=34\times\frac{16}{17}=32$

●: $34\times\frac{1}{16+1}=34\times\frac{1}{17}=2$

⇨ ★×●$=32\times2=64$

26 답 378

★: $69\times\frac{2}{2+21}=69\times\frac{2}{23}=6$

●: $69\times\frac{21}{2+21}=69\times\frac{21}{23}=63$

⇨ ★×●$=6\times63=378$

27 답 2048

★: $96\times\frac{2}{2+1}=96\times\frac{2}{3}=64$

●: $96\times\frac{1}{2+1}=96\times\frac{1}{3}=32$

⇨ ★×●$=64\times32=2048$

28 답 2880

★: $116\times\frac{20}{20+9}=116\times\frac{20}{29}=80$

●: $116\times\frac{9}{20+9}=116\times\frac{9}{29}=36$

⇨ ★×●$=80\times36=2880$

29 답

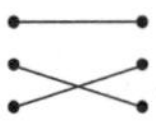

$240\times\frac{3}{3+5}=240\times\frac{3}{8}=90$

$240\times\frac{5}{3+5}=240\times\frac{5}{8}=150$

⇨ (90, 150)

$92\times\frac{1}{1+3}=92\times\frac{1}{4}=23$

$92\times\frac{3}{1+3}=92\times\frac{3}{4}=69$

⇨ (23, 69)

$150\times\frac{3}{3+2}=150\times\frac{3}{5}=90$

$150\times\frac{2}{3+2}=150\times\frac{2}{5}=60$

⇨ (90, 60)

30 답

$360\times\frac{5}{5+4}=360\times\frac{5}{9}=200$

$360\times\frac{4}{5+4}=360\times\frac{4}{9}=160$

⇨ (200, 160)

$49\times\frac{4}{4+3}=49\times\frac{4}{7}=28$

$49\times\frac{3}{4+3}=49\times\frac{3}{7}=21$

⇨ (28, 21)

$80\times\frac{2}{2+3}=80\times\frac{2}{5}=32$

$80\times\frac{3}{2+3}=80\times\frac{3}{5}=48$

⇨ (32, 48)

31 답 **지수**, 3000원

은비: $15000\times\frac{2}{2+3}=15000\times\frac{2}{5}=6000$(원)

지수: $15000\times\frac{3}{2+3}=15000\times\frac{3}{5}=9000$(원)

따라서 지수가 은비보다 용돈을

$9000-6000=3000$(원) 더 많이 가졌습니다.

32 답 **혜진**, 500 mL

2 L=2000 mL입니다.

혜진: $2000\times\frac{5}{5+3}=2000\times\frac{5}{8}=1250$(mL)

나래: $2000\times\frac{3}{5+3}=2000\times\frac{3}{8}=750$(mL)

따라서 혜진이가 나래보다 물을

$1250-750=500$(mL) 더 많이 마셨습니다.

p. 76

재미있게, 우리 연산하자!

$0.8:\frac{1}{5}=0.8:0.2=8:2=4:1=12:3$

$\frac{1}{6}:\frac{3}{8}=8:18=4:9=20:45$

답 2, 4, 3, 18, 4, 45

5 ::: 원의 넓이

17 원주와 원주율

p. 79~81

> 예제 따라 풀어보는 연산

01 24 cm **02** 39 cm **03** 57 cm
04 12 cm **05** 11 cm **06** 16 cm
07 23 cm **08** 17 cm **09** 25 cm
10 64 cm

> 스스로 풀어보는 연산

11 21 cm **12** 54 cm **13** 27.9 cm
14 34.1 cm **15** 65.94 cm **16** 84.78 cm
17 5 cm **18** 13 cm **19** 14 cm
20 7 cm **21** 15 cm **22** 5 cm

> 응용 연산

23 3, 3 **24** 3.14, 3.14 **25** 15
26 20 **27** ㉠ **28** ㉡
29 = **30** >

01 답 24 cm

(원주)=(지름)×(원주율)=8×3=24(cm)

05 답 11 cm

(지름)=(원주)÷(원주율)=33÷3=11(cm)

23 답 3, 3

(원주율)=(원주)÷(지름)이므로 원주율은 각각

12÷4=3, 48÷16=3입니다.

24 답 3.14, 3.14

(원주율)=(원주)÷(지름)이므로 원주율은 각각

28.26÷9=3.14, 25.12÷8=3.14입니다.

25 답 15

(지름)=(원주)÷(원주율)=94.2÷3.14=30(cm)

이므로 반지름은 15 cm입니다.

26 답 20

(지름)=(원주)÷(원주율)=125.6÷3.14=40(cm)

이므로 반지름은 20 cm입니다.

27 답 ㉠

㉠ (지름)=(원주)÷(원주율)=75÷3=25(cm)

㉡ (지름)=(반지름)×2=23×2=46(cm)

따라서 지름이 더 작은 원은 ㉠입니다.

28 답 ㉡

㉠ (지름)=(원주)÷(원주율)=93÷3=31(cm)

㉡ (지름)=(반지름)×2=15×2=30(cm)

따라서 지름이 더 작은 원은 ㉡입니다.

29 답 =

(원주)÷(지름)=15.5÷5=3.1

(원주)÷(지름)=24.8÷8=3.1

따라서 ○ 안에 알맞은 것은 =입니다.

30 답 >

(원주)÷(지름)=9.42÷3=3.14

(원주)÷(지름)=18.6÷6=3.1

따라서 ○ 안에 알맞은 것은 >입니다.

18 원의 넓이

p. 83~85

> 예제 따라 풀어보는 연산

01 12.56 cm^2 **02** 50.24 cm^2

03 153.86 cm^2 **04** 113.04 cm^2

05 243 cm^2 **06** 75 cm^2

07 192 cm^2 **08** 363 cm^2

> 스스로 풀어보는 연산

09 251.1 cm^2 **10** 77.5 cm^2

11 198.4 cm^2 **12** 446.4 cm^2

13 200.96 cm^2 **14** 452.16 cm^2

15 27.9 cm^2 **16** 151.9 cm^2

17 49.6 cm^2 **18** 111.6 cm^2

19 153.86 cm^2 **20** 254.34 cm^2

> 응용 연산

21 풀이 참조 **22** 풀이 참조

23 풀이 참조 **24** 풀이 참조

25 ㉠, ㉡, ㉢ **26** ㉡, ㉠, ㉢

27 12.56 cm^2, 37.68 cm^2, 62.8 cm^2

28 50.24 cm^2, 150.72 cm^2, 251.2 cm^2

21 답 풀이 참조

반지름 (cm)	지름 (cm)	원주율	원의 넓이 (cm^2)
10	20	3	300
15	30	3.1	697.5

22 답 풀이 참조

반지름 (cm)	지름 (cm)	원주율	원의 넓이 (cm^2)
7	14	3.1	151.9
6	12	3.14	113.04

23 답 풀이 참조

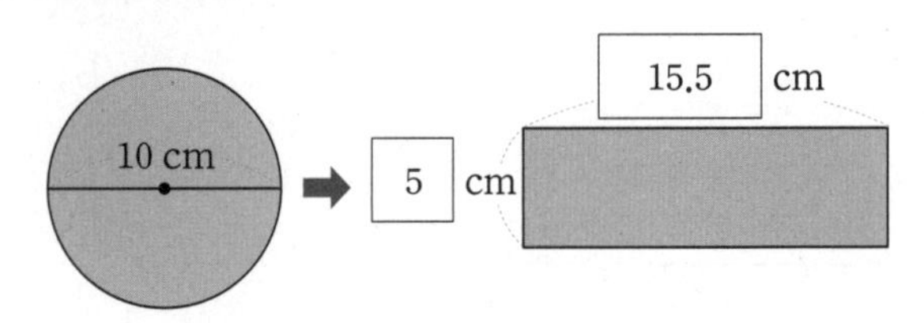

24 답 풀이 참조

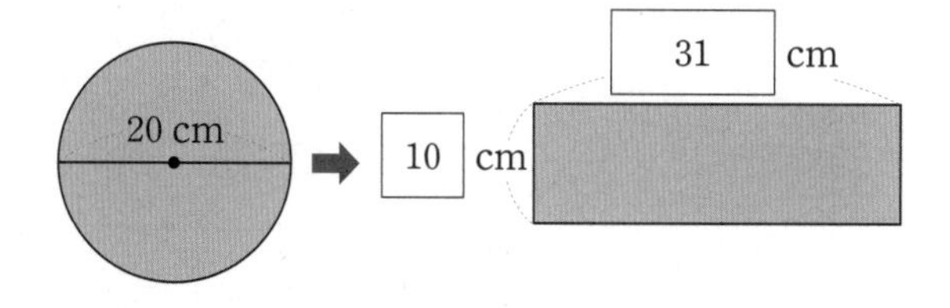

25 답 ㉠, ㉡, ㉢

㉠ (원의 넓이)$=3\times15\times15=675$(cm^2)

㉡ (원의 넓이)$=3\times13\times13=507$(cm^2)

㉢ (지름)$=$(원주)$\div$(원주율)$=60\div3=20$(cm)이므로 원의 반지름은 10 cm

(원의 넓이)$=3\times10\times10=300$(cm^2)

따라서 원의 넓이가 큰 것부터 차례대로 기호를 쓰면 ㉠, ㉡, ㉢입니다.

26 답 ㉡, ㉠, ㉢

㉠ (원의 넓이)$=3\times8\times8=192$(cm^2)

㉡ (원의 넓이)$=3\times9\times9=243$(cm^2)

㉢ (지름)$=$(원주)$\div$(원주율)$=42\div3=14$(cm)이므로 원의 반지름은 7 cm

(원의 넓이)$=3\times7\times7=147$(cm^2)

따라서 원의 넓이가 큰 것부터 차례대로 기호를 쓰면 ㉡, ㉠, ㉢입니다.

27 답 12.56 cm^2, 37.68 cm^2, 62.8 cm^2

(노란색 넓이)$=3.14\times2\times2=12.56$(cm^2)

(빨간색 넓이)$=3.14\times4\times4-$(노란색 넓이)

$=50.24-12.56=37.68$(cm^2)

(초록색 넓이)

$=3.14\times6\times6-$(빨간색 넓이)$-$(노란색 넓이)

$=113.04-37.68-12.56$

$=62.8$(cm^2)

28 답 50.24 cm^2, 150.72 cm^2, 251.2 cm^2

(노란색 넓이)$=3.14\times4\times4=50.24$(cm^2)

(빨간색 넓이)$=3.14\times8\times8-$(노란색 넓이)

$=200.96-50.24=150.72$(cm^2)

(초록색 넓이)

$=3.14\times12\times12-$(빨간색 넓이)$-$(노란색 넓이)

$=452.16-150.72-50.24$

$=251.2$(cm^2)

p. 86

재미있게, 우리 연산하자!

원주가 클수록 원의 넓이가 커지므로 원주가 69.08 cm인 원의 넓이가 원주가 56.52 cm인 원의 넓이보다 더 큽니다.
원주가 69.08 cm인 원의 지름은 $69.08\div3.14=22$(cm)이므로 원의 반지름은 11 cm이고
원의 넓이는 $3.14\times11\times11=379.94$(cm^2)입니다.
즉, ❷에 알맞은 원의 넓이는 379.94 cm^{2}입니다.
반지름이 작을수록 원의 넓이가 작아지므로 반지름이 12 cm인 원의 넓이가 반지름이 16 cm인 원의 넓이보다 더 작습니다.
반지름이 12 cm인 원의 넓이는
$3.14\times12\times12=452.16$(cm^2)입니다.
즉, ❸에 알맞은 원의 넓이는 452.16 cm^{2}입니다.
따라서 ❶에 알맞은 원의 넓이는 452.16 cm^{2}입니다.

답 ❶ 452.16 cm^2 ❷ 379.94 cm^2 ❸ 452.16 cm^2

6 ::: 원기둥, 원뿔, 구

19 원기둥

p. 89~91

> 예제 따라 풀어보는 연산

01 라, 마　　**02** 다

03 (위에서부터) 7, 12

04 (위에서부터) 2.5, 8.6

05 풀이 참조　　**06** 풀이 참조

> 스스로 풀어보는 연산

07 가, 다, 바　　**08** 나, 라, 마

09 (왼쪽에서부터) 3, 6

10 (왼쪽에서부터) 18, 8

11 (왼쪽에서부터) 7, 2.5

12 (왼쪽에서부터) 9.6, 4

13 풀이 참조　　**14** 풀이 참조

15 풀이 참조　　**16** 풀이 참조

> 응용 연산

17 ㉡, ㉢　　**18** ㉠, ㉡

19 (위에서부터) 8, 6.4, 61.44

20 (위에서부터) 10.8, 9, 121.5

21 ㉠　　**22** ㉡

23 4 cm　　**24** 5.5 cm

05 답 풀이 참조

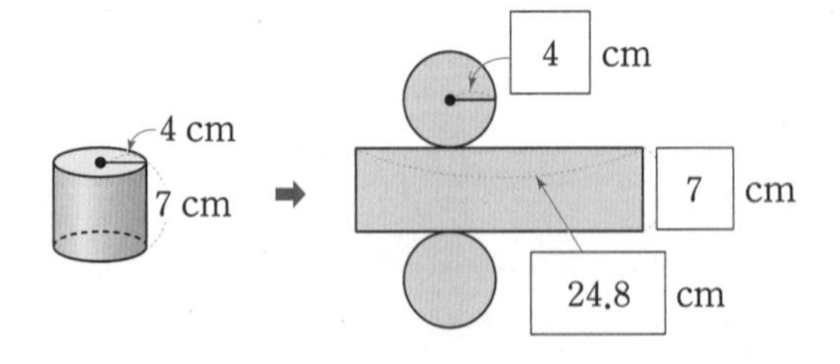

06 답 풀이 참조

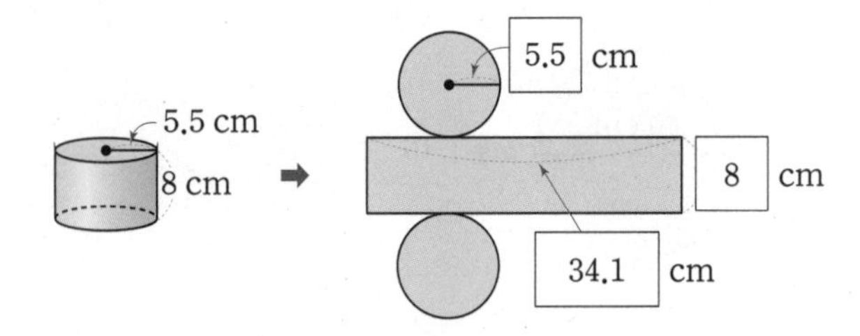

13 답 풀이 참조

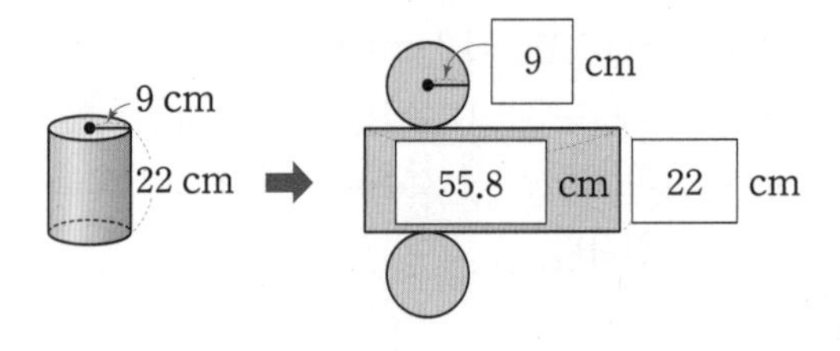

14 답 풀이 참조

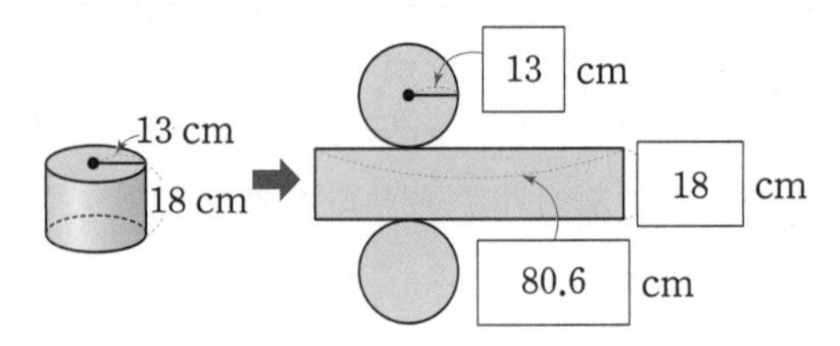

15 답 풀이 참조

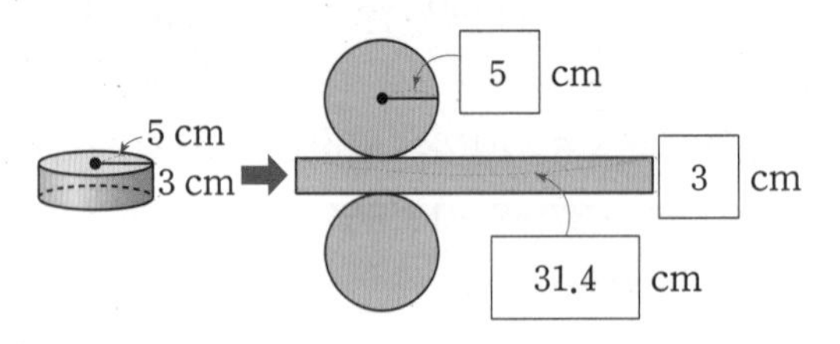

16 답 풀이 참조

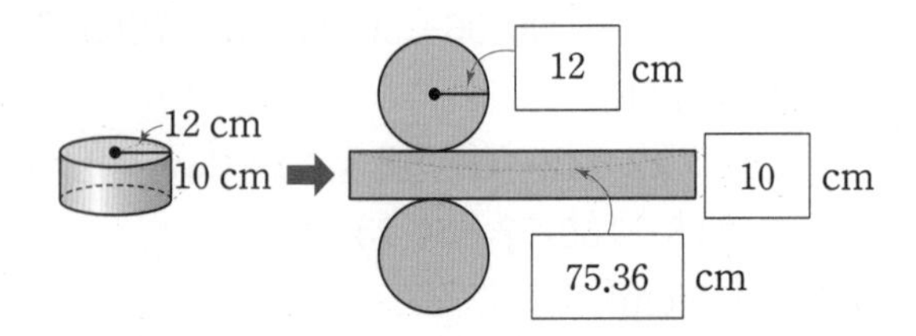

17 답 ㉡, ㉢
원기둥의 전개도에서 밑면은 옆면인 직사각형의 위와 아래 위치에 있어야 하고, 그 모양은 원입니다.

18 답 ㉠, ㉡
원기둥의 전개도에서 밑면인 두 원은 합동이고, 옆면의 모양은 직사각형입니다.

19 답 (위에서부터) 8, 6.4, 61.44
반지름이 3.2 cm인 원의 지름은 6.4 cm이고
원기둥의 높이는 8 cm입니다.
(밑면의 넓이)=(원주율)×(반지름)×(반지름)
=3×3.2×3.2
=30.72(cm^2)
원기둥의 밑면은 두 개이므로 밑면의 넓이의 합은
30.72×2=61.44(cm^2)입니다.

20 답 (위에서부터) 10.8, 9, 121.5
반지름이 4.5 cm인 원의 지름은 9 cm이고
원기둥의 높이는 10.8 cm입니다.
(밑면의 넓이)=(원주율)×(반지름)×(반지름)
=3×4.5×4.5
=60.75(cm^2)
원기둥의 밑면은 두 개이므로 밑면의 넓이의 합은
60.75×2=121.5(cm^2)입니다.

21 답 ㉠
㉠ □=(지름)×(원주율)=30×3=90
㉡ □=(지름)×(원주율)=24×3.1=74.4
따라서 □ 안에 알맞은 수가 큰 것은 ㉠입니다.

22 답 ㉡
㉠ □=(지름)×(원주율)=8×3.1=24.8
㉡ □=(지름)×(원주율)=12×3.14=37.68
따라서 □ 안에 알맞은 수가 큰 것은 ㉡입니다.

23 답 4 cm
원기둥의 전개도에서 옆면의 가로의 길이는 원기둥의 밑면의 둘레와 그 길이가 같습니다.
(밑면의 둘레)=(반지름)×2×(원주율)이므로
24.8=(반지름)×2×3.1이고
24.8=(반지름)×6.2입니다.
따라서 (반지름)=24.8÷6.2=4(cm)입니다.

24 답 5.5 cm
원기둥의 전개도에서 옆면의 가로의 길이는 원기둥의 밑면의 둘레와 그 길이가 같습니다.
(밑면의 둘레)=(반지름)×2×(원주율)이므로
34.1=(반지름)×2×3.1이고
34.1=(반지름)×6.2입니다.
따라서 (반지름)=34.1÷6.2=5.5(cm)입니다.

20 원뿔과 구

p. 93~95

> 예제 따라 풀어보는 연산

01 다, 마 **02** 라
03 (위에서부터) 5, 2
04 (위에서부터) 7, 3 **05** 8
06 10

> 스스로 풀어보는 연산

07 가, 라 **08** 다, 바
09 (위에서부터) 10, 6
10 (위에서부터) 13, 4
11 (위에서부터) 11, 8
12 (위에서부터) 13, 10 **13** 18
14 20 **15** 12 **16** 6

> 응용 연산

17 높이 **18** 모선의 길이
19 9 cm **20** 3.1 cm **21** 3 cm
22 10 cm **23** 24, 9 **24** 14, 10

01 답 다, 마
평평한 면이 1개이고 원이며 뾰족한 뿔 모양인 입체도형은 **다, 마**입니다.

02 답 라
공 모양의 입체도형은 **라**입니다.

21 답 3 cm
두 원뿔의 높이는 각각 9 cm, 12 cm입니다.
따라서 두 원뿔의 높이의 차는 $12-9=3$(cm)입니다.

22 답 10 cm
두 원뿔의 높이는 각각 10 cm, 20 cm입니다.
따라서 두 원뿔의 높이의 차는 $20-10=10$(cm)입니다.

23 답 24, 9
원뿔의 밑면의 지름은 $12\times2=24$(cm)이고 원뿔의 높이는 9 cm입니다.

24 답 14, 10
원뿔의 밑면의 지름은 $7\times2=14$(cm)이고 원뿔의 높이는 10 cm입니다.

p. 96

재미있게, 우리 연산하자!

원기둥, 원뿔, 구는 모두 위에서 보면 원 모양입니다.
⇨ [예]쪽으로 이동합니다.
구는 앞에서 보면 원 모양이고, 원뿔은 앞에서 보면 삼각형 모양입니다.
⇨ [아니요]쪽으로 이동합니다.
원기둥과 원뿔은 밑면이 있지만 구는 밑면이 없습니다.
⇨ [아니요]쪽으로 이동합니다.
원뿔과 원기둥은 모두 굽은 면으로 둘러싸여 있습니다.
⇨ [예]쪽으로 이동합니다.
따라서 마지막 도착 장소는 공원입니다.

답 공원